日本人絶滅シナリオのどんでん返し

陛下暗殺プラン
VS
霊神ヤハウェ（スサノオ）

飛鳥昭雄

ヒカルランド

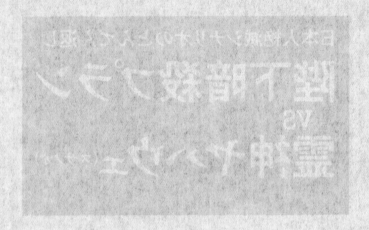

目次

序章 マッカーサーの呪《のろ》いは今も続く

第1章 皇室内部の対立とイスラエル第三神殿建設

第4章　安倍元首相銃撃の不可解なミステリー

第5章　令和時代のパンドラの箱が開いた

終章　日本列島全域地震か　大和民族復活か

カバーデザイン　櫻井浩（⑥Design）
校正　広瀬泉
本文仮名書体　文麗仮名（キャップス）

序章

マッカーサーの呪《のろ》いは今も続く

マッカーサーと昭和天皇

原爆投下予定だった京都

「太平洋戦争」に敗北した日本に戦後やって来た連合国軍最高司令官ダグラス・マッカーサーは、一面の焼け野原となった東京を新たな時代の計画都市に造り直そうとした日本の関係者にこう言い放った。

「敗戦国にそんな立派な都市は相応《ふさわ》しくない!!」

戦後、「GHQ/連合国軍最高司令官総司令部」の占領政策による日本の教育では、日本は「ポツダム宣言」を黙殺した結果、アメリカ軍は本土決戦を覚悟せねばならなくなり、その際に失われる数万の若い米兵の命を守るため、仕方なく原爆を使ったと教えられてきた。

しかし、それは方便であり、アメリカ軍部は「上下両院議会」にかけず、独断で陥落間近の日本に原爆を2発を投下し、ハリー・S・トルーマン大統領に広島と長崎は軍人しかいないと嘘《うそ》をついてサインをさせたことが判明している。

そもそも「マンハッタン・プロジェクト」の実施は「陸軍マンハッタン工兵管区」の名称で開始、レズリー・リチャード・グローブス准将が1942年9月に着任することで本格化する。

その後に起きた広島・長崎の原爆投下は、フランクリン・ルーズベルトの後継者だったハリー・トルーマン大統領の意思で決定したとされているが全く違う。

非人道的な原爆投下は、陸軍のグローブス准将の主導で決行されたもので、トルーマンへの説明の際、「広島と長崎は海軍の巨大な軍事基地であり、民間人は1人もいません」と誤魔化している。

最近、コロラド州コロラドスプリングスの「アメリカ空軍士官学校」の図書館で、原爆計画のインタビューテープが発見され、その中に「最初の原爆は7月に準備され、もう1つは8月1日頃に準備され、1945年の暮れには、さらに17発が製造されていた」の発言があり、グローブス准将が日本への原爆大量投下を計画していたことが判明した。

驚くべきことに、グローブス准将は、以下のようなコメントを堂々とテープに残している。

「ルーズベルトが知っていたのは、私が責任者を務めていることだけで、彼から原爆の進捗《しんちょく》状況について聞かれたことは一度もない」

「原爆開発は全て私に任せられ、そのため、（議会から）何の邪魔もされずに開発を進められた」

「ルーズベルトが知っていたのは、巨大プロジェクトに時間がかかるというだけで、本当に完成するとは思っていなかったようだ」

グローブス准将が仕切った幾つかの議事録にも、原爆投下を「東京」にしていたことが判明、その理由は首都と一緒に天皇を一族もろとも地上から消し去ることだった。

さらに、グローブス准将が東京より最初に原爆を落としたかった都市は、広島でも長崎でも大阪でもなく東京でもなく、歴史的都の「京都」だったことが録音テープから判明した!!

その途中でルーズベルト大統領が急死、後継者だったトルーマン大統領も、副大統領になってわずか3カ月しか経っておらず、個人的にもルーズベルトとトルーマンは一度しか会っていなかったのだ。

そのトルーマン大統領を、グローブス准将はテープの中で、「トルーマンは原爆について何も知らないが、まさかその自分が原爆投下の全責任を負うなど思いもしないだろう」と語っている。

同年4月25日、グローブス准将は陸軍長官ヘンリー・スティムソンと一緒にホワイトハウスを訪れ、原爆計画続行の承認を得ようとしたが、進捗状況を記した報告書をトルーマン大統領は小難しい書類を読むのを邪魔くさがり、「そんな類《たぐい》の報告書など読むのも面倒だ」と語ったのを、グローブス准将は故意に〝了解〟と解釈、一気に自分の思惑通り日本への原爆開発を暴走させていった。

「原爆投下におけるトルーマンは、ソリに乗った子供と同じで、彼はそのまま滑り落ちていくだけだ」

「トルーマンは原爆の知識など全くない大統領だ」と揶揄《やゆ》している。

1945年4月27日、グローブス准将は原爆投下地点を決める『目標検討委員会』を主催したが、トルーマン大統領や側近を呼んだ形跡は一切ない。

そこでグローブス准将が主張したのは、驚くべきことに、何がなんでも「京都」を真っ先に地上から消滅させることだったのである!!

が、元々ナチス以上のホロコーストをアメリカが行うことへの懸念と、歴史的遺産をアメリカが消滅させることを恐れたスティムソン陸軍長官は京都だけは許可しなかった。

そんな中、昭和天皇の当時の日本で憲法で違反だった「玉音放送」を流した結果、テニアン島から次々と発進する「B－29」による17発の原爆で日本人を根切にするグローブス准将の計画が泡と消えてしまう。

「ポツダム宣言」を受け入れた日本に原爆を落とせなくなったアメリカを代表し、マッカーサーは「昭和天皇だけは許さない」と横田基地に降りたったが、東京に乗り込む自分の車を守るため、道路に整然と並ぶ日本兵の姿を見て、天皇を処刑した場合の日本人の反発と政治的大混乱に一抹の不安を覚えたという。

そのマッカーサーの背後にいたのがアシュケナジー系ユダヤで、8、9世紀にかけてユダヤ教に改宗してユダヤ人になった宗教的白人種である。

彼らは本物の血統的ユダヤ（ヤハウェの民のヘブライ語：ヤ・ウマト＝大和《やまと》民族）の存在を恐れ、地上から消し去るか徹底的に抑え込み二度と立ち上がれなくするかだった。

そのためには直接支配する階層に日本人と見分けがつきにくい在日朝鮮人が選ばれた。

それを「ＷＧＩＰ（War Guilt Information Program）戦争罪悪感プロジェクト」といい、李《リ》承晩《ショウバン》に「竹島」を与えたマッカーサーは、韓国が日本を徹底的に責め立て蔑《さげす》むよう指導、傀《かい》儡《らい》政党の自民党から韓国へ莫大《ばくだい》な援助金を半永久的に支払わせる口約束を李承晩と交した。

その後、戦後景気を経てバブル時代に社会学者エズラ・ヴォーゲル著の『*Japan as Number One*』を迎えるが、東京の「アメリカ大使館（極東ＣＩＡ本部）」は自民党に命じてある男を日銀総裁に押し上げる。

日本名にロンダリングした国会議員たち

１９８９年12月、バブルのピークに「日本銀行総裁」に就任した三重野康は、その年末の大納会の「日経平均株価」３万８９１５円の史上最高値をつけたことを許さず、禁断の手口の「急激な金融引き締め」に踏み切る。

これは高速道路を全速で走る大型自動車に急ブレーキをかけたと同じ自殺行為で、「公定歩合（当時の政策金利）」を３・75パーセントから４・25パーセントに引き上げさせた結果、株価、地価が一気に急落する!!

これを経済用語で「ハードランディング」といい、「日経平均株価」が急落すると同時に２万円を割り込み、長期の下落基調に転じた後、一気にバブルが崩壊する。

結果、「不動産担保」の融資が担保割れを起こし、銀行の「不良債権」が急増したため、危機感を感じた「日銀」があわてて利下げに転じたが既に手遅れで、一度逆回転を始めた資産価格の下落は止まらず、金融が目詰まりし、日本経済は今に続く超長期低迷期に陥ったのである。

その後、アメリカは朝鮮系の小泉（朴）純一郎を自民党総裁に押し上げるため、邪魔な日本人の自民党国会議員を次々と族議員の「抵抗勢力」に認定させ、そこへ日本名にロンダリングした在日を次々と選挙区に落下傘降下させ、自民党から邪魔な日本人勢力を一掃した。

と同時に、竹中平蔵を経済財政政策担当大臣にし、「富める者が富めば、貧しい者も自然に豊かになる」という嘘の「トリクルダウン理論」で日本人を騙《だま》した。

実際、大企業を優遇した竹中の理論は、「正社員」を減らし「契約社員」「派遣社員」を激増させて「中流層」を日本から一掃させた。

一方、優遇された大企業は「小泉改革」で得た潤沢で莫大な利益を「内部留保」「タックス・ヘイヴン（租税回避地）」に蓄え、労働者には殆《ほとん》ど回さなかった。

結果、日本人はどんどん貧しくなり、若者層は結婚できない状況に置かれ、当然、少子化も止まらなくなった。

これは日本人奴隷化を計画したマッカーサーの思惑通りで、戦後、GHQの下部組織「CIE（Civil Information and Educational Section）／民間情報教育局」が計画した、大企業に在日朝鮮民族を無試験で入れる「在日特権」「在日就職枠」「特別永住権」を、東京港区の「アメリカ大使館（極東CIA本部）」が傀儡の自民党に命じて進行させていった。

それを徹底させた結果、全国の大学、大企業、新聞社、TV局、警察、芸能界どころか、霞が関、政界まで朝鮮民族が上層部を占め、李氏朝鮮系の安倍内閣が2万人規模の韓国人を毎年大企業に就職させた結果、日本人は彼らの下で働く下僕となり、労働力を提供するだけの奴隷となった。

エドワード・スノーデンが明かす日本の正体!!

1985年10月から2004年3月まで、テレビ朝日で久米宏をメインキャスターにした「ニュースステーション」という報道番組があった。そこで妙な事件が起きたのは、青森県「三沢基地」にある「NSA（National Security Agency）／国家安全保障局」の通信傍受システム「エシュロン／ECHELON」について、日本国民にとって相当ヤバイ内容の特集になると言われていた。

当時、「象の檻《おり》／（Elephant Cage）」と呼ぶ巨大構造物があることが知られ始め、それが「エシュロン」で日本人のプライバシーをアメリカが覗《のぞ》き見《み》している噂があった。

そして、いよいよ放送当日、テレ朝の「ニュースステーション」の担当ディレクターのパソコンを開くと、そこに保管してあった映像が全て消えていた……。

当然、放送どころか企画その物がデータ消滅と共に霧散し、大分後になって、日本の「横田基地」の「NSA」の施設にいたエドワード・スノーデンが、世界中に張り巡らされた通信傍受システムを暴露するまで謎のままとなる。

アメリカの「ＮＳＡ／国家安全保障局」の傍聴システムを暴露した『スノーデン文書』により、「エシュロン」の正体が明らかになり、驚くべきは日本人全員の通話を傍聴するため「ＮＴＴ」は勿論、「docomo」「Softbank」「au」も mail を含む盗聴許可をアメリカに出していた事実が暴露された。

もちろん、２０２１年の産業スパイ事件を起こしたとされる「楽天」の携帯電話事業も例外ではないはずで、スノーデンが横田でやっていたのは、日本がアメリカに逆らった場合に備え、「アメリカ大使館（極東ＣＩＡ本部）」が「読売新聞」の正力松太郎（今はナベツネ）と自民党を通して日本中に建設させた「原発」を、ボタン一つで次々と電源喪失させるシステムの構築で、日本中の「原発」を一斉にメルトダウンさせ核爆発させるシステムだった。

その状況に対しあまりにも無知な日本人を哀れと思ったとスノーデンは後述している。

このことから何が分かるかというと、ビル・ゲイツの「Microsoft」が開発したＯＳ「Windows」には「バックドア」が仕掛けられ、「ＮＳＡ」や「ＣＩＡ」はそこから政府、大学、企業、個人のパソコンに出入りでき、重要なデータを持ち去り、消去、コピーも自由にでき、バックドアから入るので「ウイルスソフト」が全く役に立たないことだ。

アメリカでは、ウイルスソフトを開発する企業には、侵入プログラム（鍵）をアメリカ政府（ＮＳＡ）に提出しなければ商品が承認されない仕組みになっている。

このテレ朝の「ニュースステーション」の後を受けた「報道ステーション」は、２００４年から古舘伊知郎をメインキャスターに迎えたが、２０１４年、反原発・脱原発を掲げた岩路真樹ディレクターが突然不審死し、その裏を暴く写真週刊誌『ＦＬＡＳＨ』の販売も突然中止になる異例尽くしの展開となった。

岩路ディレクターは、生前から「俺が死んだら殺されたと思ってくれ」と周囲に話していた以上、「アメリカ大使館（極東　ＣＩＡ本部）」が「ＣＯＶＩＤ19」を武漢で撒《ま》く際に使った日本国籍の在日部隊が接触したと思われる。

彼らは１９８５年８月12日「御巣鷹山《おすたかやま》」に墜落したジャンボジェット機「ＪＡＬ１２３便」の際も現れている。

当時、御巣鷹山（今は正式名になっている）は正式名ではなく、地元の救援隊を混乱させる目的で墜落現場を不明とする中、秘密裏に集合していた。

彼らは極秘の「別班」という部隊で在日で構成され、「アメリカ大使館（極東ＣＩＡ本部）」の命令で出動した〝偽自衛隊〟が墜落現場に到着したとき、大勢がまだ生きていた。

が、彼らは「火炎放射器」で生存している乗客を二度焼きにして次々と殺していったのである。後の現場検証から、墜落時のジェット燃料の火災にはない「火炎放射器」の燃料である「タール」（正確にはゲル状燃料）が全所に残されていた。

彼らは自衛隊の服装以外は所属部隊を示す襟章もない「在日部隊」で、「アメリカ大使館

（極東ＣＩＡ本部）」が御巣鷹山に送った部隊だったが、小学校の校庭に一時集合したところを村人が撮影している。

その後、現場に到着した自衛隊の一人が不審に思い彼らに近づいた際、彼らに射殺されるが、そのニュースが「待機命令に反して救出を急いだ自衛隊員を射殺」としてニュースに流され、後に自殺に変わっている。

当時は自民党の「中曽根内閣」の時代で、閣僚に在日系の竹下登や安倍晋太郎（安倍晋三の父）らがいて、相模湾上で試運航中だった護衛艦「まつゆき」が誤射した艦対空ミサイルが「ＪＡＬ１２３便」の尾翼を直撃、２機の空自の「ファントム機」が追尾する中、ダッチロール状態で墜落した。

当時の中曽根首相の独断で「アメリカ大使館（極東ＣＩＡ本部）」が動いた。

現在、ロシアに亡命中のエドワード・ジョセフ・スノーデンは、自ら著した『スノーデン文書』で、２００９年2月に「ＣＩＡ／中央情報局」を辞職した後、すぐに「ＮＳＡ／アメリカ国家安全保障局」と契約を結び「ＤＥＬＬ社（Dell Technoligies）」に勤務、そのまま日本の「横田基地」（東京都多摩地域中部）のＮＳＡ関連ＤＥＬＬ施設で2年間業務を行ったと記している。

その日本で「システム分析官」として活動した際、将来、日本がアメリカに逆らった場合に備え、東京の「アメリカ大使館（極東ＣＩＡ本部）」と「読売新聞」の正力松太郎（今はナベツネ）、及び傀儡《かいらい》政党の自民党と協力し、「日米原子力協定」締結後すぐに日本中の海岸線に建設させた「原発」を、ボタン一つで電源喪失させるシステムを構築、日本中の「原発」を一斉にメルトダウンで核爆発させるシステムを完成させたと暴露した。

さらに日本中の「水力発電ダム」を「9・11（アメリカ同時多発テロ）」の際の「ワールドトレードセンター」を破壊したと同じ方法で連続破壊し、ダムの崩落によって押し寄せる膨大な土石流で下流の街々を呑《の》み込ませ、全国の「変電所」も瞬時にシャットダウンさせ、向こう4年間は復興できないようにし、日本に〝アメリカの正義の復讐〟を果たすシナリオができているとする。

スノーデンは共和党でも民主党でもなく、自由を重視する「リバタリアン派」で、「自由・平等・基本的人権」を理念とする「アメリカ合衆国憲法」に忠実だったが、アメリカ同時多発テロの「9・11」で共和党大統領だったジョージ・ブッシュJr.の「警察国家化」「軍国主義化」による戦争推進に疑念を持ち、次のオバマ大統領の民主党政権でそれを一掃することに期待したが、逆に拡大の一途をたどるNSAの〝国民監視活動〟に失望感を持ったという。

そのアメリカの支配に対し、あまりにも平和ボケで無知な日本人を哀れに思ったスノーデンは、オリバー・ストーン監督のハリウッド映画『スノーデン』の中で、「日本が同盟国でなくなった場合、電力システムを停止させられる〝マルウェア（Malware）〟を横田基地駐在時に仕込んだ!!」部分を公開した。

「マルウェア」とは、ウイルス、ワーム、トロイの木馬といった悪意あるソフトウェアの総称で、マルウェアの中に感染力の強いものは1台のPCが感染するだけで、社内ネット上の全てのPCが感染、その拡大が止まらなくなることをいい、それを日本の同盟国のアメリカが日本に対して仕掛けたことになる。

勿論、平和ボケ、TVボケ、韓流ボケで首までドップリ漬かった日本人にそれが伝わるわけがない……。

国会議員の国籍を公表すべし！

敗戦の日本に進駐した「GHQ」の下部組織「CIE（Civil Information and Educational Section）／民間情報教育局」が作った「WGIP／戦争罪悪感プログラム」は、日本人の特質（気質）を利用したアメリカの新奴隷化制度だった。

大和民族は「自制」「自粛」を旨《むね》とする民族で、日本に初めてキリスト教を伝えたイエズス会のフランシスコ・ザビエルでさえ「この国では一度隅々までキリスト教に感化された跡がある」という内容の書簡を出すほどだった。

その日本人を支配するため、大和民族の性癖を加速させ〝自虐趣味〟に持っていくのが「WGIP」の目的で、それには「日韓併合」で日本人と同じ資格と権利が日本政府から保障されていた在日を利用することだった。

今もNHKを筆頭するTV局や新聞社は「日韓併合」を〝植民地〟と決めつけるが、イギリスの植民地だったインドにイギリスが自分たちと同格の権利を与えたことは一度もなく、それが「植民地」である。

朝鮮民族は漢民族同様に大陸系の気質で、多くは遠慮、恥、敗者の美学はなく、日本の芸能界で名を成す芸人や歌手を観れば一目瞭然《いちもくりょうぜん》で、悪口、無遠慮、傲慢《ごうまん》を売りにする者の殆どが在日である。

マッカーサーは厚木基地に到着した後、在日の裏ネットワークを通じ「在日朝鮮民族を進駐軍とみなす」と誤解できる話を流したため、在日は「戦勝国民」「朝鮮進駐軍」と自らを称して好き勝手が許され、今も一等地の駅前にコリアン系&朝鮮系のパチンコ店が並ぶのも無償でGHQから与えられたからだ。

さらにGHQは日本政府に「在日特権」「在日就職枠」「特別永住権」を義務化させ、全ての大企業に在日を無試験で採用するよう通達、「読売新聞社」は「WGIP」の存在が暴露され始めた最近、大慌てで2020年から「在日就職枠」を撤廃している。

同様のことは大学入試でも行われ、国立大学系に在日なら無試験で入学でき、同得点の場合は在日が日本人を抑えて入学できた。

2018年8月7日、「東京医科大」の行岡哲男常務理事と富澤啓介副学長（学長職務代理）

が記者会見の場で深々と頭を下げる事態が起きた。

２００６年から女子受験生に対し、大学側が勝手に一律減点していた事実が明るみになり「恣意的操作《しいてき》」を行ったことが発覚、そればかりか一般入試以外の推薦入試と地域枠入試でも不正操作があったことで前代未聞の不祥事に発展した。

特に女子受験者排除の理由を、大学側の「女性は結婚や出産で医師を離職し、短時間勤務になるため、女性医師を避けたい気持ちが働いた」と釈明したが、これは大嘘で女性医師の労働力率は一時的に結婚と出産で低下しても、育児が落ち着くと再び上昇する。

つまりこの手の不正はマスコミが好んで報道する「男女差別」「女性蔑視」ではなく、排斥した女子受験者の代わりに在日の男性受験者と入れ替えるシステムということだ!!

２０２０年7月1日、神奈川県川崎市で「川崎ヘイト禁止条例」が完全施行され、以後、在日や朝鮮民族に対する不満、怒りの言葉、反発行動を一切禁じることが決まった。

これらを「ヘイトスピーチ」と一括《ひとくく》りにした上、たとえデモであっても「刑事罰」を科すことになった。

一方の韓国では日本や日本人に何を言ってもかまわず、反日は愛国的であり、むしろ教育現場で「ヘイトスピーチ」を助長さえしている。

行き過ぎるヘイトスピーチには反対するが、デモを行っても逮捕する川崎市長や川崎市議会の議員がどんな人々か、興信所を使ってでも徹底調査する必要があると思われ、それも川崎市民の権利の一つである。

同じ権利は国民にもあり、自民党や野党の党首、国会議員の多くが在日で占められているか否か、それを調査することぐらいは認められているはずであろう。

そうでないと中国軍の日本侵略を防ぐ「自衛隊」に命令を下すのが在日ばかりとなり、日本人の命を守る最小限の基準すらこの国では危うくなる。

それについて不可解な出来事が1970年代中頃に起きている。全国の市役所、区役所が保管する戦前から戦後の「戸籍謄本」「除籍謄本」を排除する通達が「自民党」から出されたのだ。

これによって誰が在日か全く分からなくなり、そのビッグデータを東京の「アメリカ大使館(極東CIA本部)」と当時の韓国政府が一部を共有することになった。

当初は燃やされたと考えられていたが、現在「警察庁」が保管していることが判明したため、それこそ自分たちの当然の権利である祖先の個人情報を元に戻すよう、国民投票にかけてでも取り戻す必要がある!!

2019年3月7日、「日本維新の会」の足立康史衆院議員が、「衆院総務委員会」の席上、「国会議員の帰化情報を公開」に打って出たことがある。

在日系・半島系・朝鮮系の国会議員は、いつ日本国籍を得たのか、その国籍情報を国民に公開すべきだと発言したのだ。世界の常識から、国会議員の履歴はプライバシーではない!!

足立議員は「国会議員に立候補する候補者が、日本にいつ帰化したのか、知りたいと思っている国民は僕の周りには多い」と発言、この警告に委員会室が一瞬ざわついたことは言うまでもない。

「日本維新の会」は、国政選挙の立候補者は「国籍」の情報をきちんと公開すべきとし、外国籍の「得喪情報」（履歴）も選挙公報で公表する必要があるとした。

足立議員はそれらを盛り込んだ「公職選挙法改正案」を議員立法として正式に提出したが、総務省の役人たちはあわてふためき、「日本国籍を与える際に、的確か否かを厳格に審査している」と、自分たちの〝許認可権〟を主張、聞く耳を持たない門前払いの官僚答弁に終始した。

しかし、国際的に当たり前のことが日本の政界では蓮舫《れんほう》議員の二重国籍問題まで行われていなかった。

勿論、東京の「アメリカ大使館（極東ＣＩＡ本部）」は日本人の〝事なかれ主義〟の性癖を日本人以上に熟知しており、今までそれを徹底的に利用してきたわけだが、事実、この発言に対し、「四大新聞」が殆ど無視同然の中、「夕刊フジ」が足立議員に直接取材を決行する。

取材に対し、足立議員は「日本人に帰化した人が国権の最高機関である国会に出る際〝愛国心がどれほどあるのか〟を確認する必要があり、〝帰化情報を隠して選ばれるのは、果たして、まっとうなのか？〟という問題意識から法制化を目指している」と語った。

事実、アメリカでは、議会選挙の際、立候補者の「アフリカ系」「プエルトリコ系」「インド系）「アラブ系」を公開しなければならないが、それをCIAが日本に適応しないのは、そこに何かどす黒い魂胆があることになる。

これが後に「(元)統一教会」問題と関わることになる!!

これは、戸籍を戦前の4、5代前までさかのぼり国籍帰化歴を開示することを意味するが、これを隠すこと自体が「帰化」以前の問題で、帰化しない連中も日本人に成りすますことが可能で、〝韓国籍〟のまま国政選挙に日本名での立候補を可能とし、「(元)統一教会」と在日ネットワークを駆使して当選することも可能となる。

もし足立議員の申し出を通したら最後、「アメリカ大使館(極東CIA本部)」と自民党の策謀が全てばれてしまうため、当時の半島系の安倍(李)晋三自民党が許可するはずがなかった。

「立憲民主党」の蓮舫元代表代行の〝二重国籍〟には自民党は追及の手を緩めなかったが、自分たちの問題となると話は別で、下手をすれば自民党の致命傷になりかねず、第一に「アメリカ大使館(極東CIA本部)」が許可しなかった。

評論家の八幡和郎《やわたかずお》氏は、「国会議員の履歴をプライバシーのごとく扱う国が日本の他にあるのか?」と疑問を呈し、「そもそもプライバシーではない!!」と国際常識を提示する。

「国への忠誠を確保するには、平和国家であればあるほど、公開が必要!!」とし、「あいまいなのは、近代国際法にもなじまない!!」と指摘するが、衆参両院で圧倒的議席数を占め、平和ボケした日本人有権者から多くの支持を受ける在日支配の自民党は簡単に黙殺する。

それで支持率が多少落ちても、戦後史から現代史、あるいは自民党政治による若者層への悪政、直接的・間接的被害を殆ど知らない若い有権者たちは、強い自民党を「寄らば大樹の陰」と支持し、不況の出版界は一度没落した「新大久保特集」を連発した結果、k－pop好きの中高生少女が見事に引っ掛かり、今では新大久保は見事に復活、OL層も韓流ドラマに溺《おぼ》れている。

「アメリカ大使館（極東CIA本部）」にすれば、安倍（李）晋三を外してもオバタリアン人気の高い〝韓流サラブレッド〟小泉（朴《パク》）進次郎が控えており、自民党政権に全く支障がないと考えている。

これほど扱いやすい民族は先進諸国では皆無で、GHQの最高司令官マッカーサーが指摘するように、日本人は12歳程度の頭しかない……。

第1章

皇室内部の対立とイスラエル第三神殿建設

第一神殿の模型図

真実を知っている高円宮家《たかまどのみや》

高円宮家の久子《ひさこ》様は、秋篠宮《あきしののみや》家を正当な天皇家の血筋とは認めていない。

2018年7月2日、高円宮久子様の三女・絢子《あやこ》様と日本郵船勤務の一般人・守谷慧《もりやけい》（敬称略）との婚約内定に際し「宮内庁」を通して異例の発言を残した

その内容は穏やかだが凄《すさ》まじいもので、「私が見定めたお相手なので（血筋と教養に）問題はありません」と、宮内庁で内情を知る者にとれば明らかな秋篠宮家への宣戦布告だった。

この発言は秋篠宮文仁《ふみひと》親王の長女が結婚したい在日の海の王子・小室（金《キム》）圭に対する不快感だった。

東京の「アメリカ大使館（極東CIA本部）」にとって、大和民族の血を引く当時の皇太子徳仁《なるひと》はアメリカの計画にとって邪魔な存在で、当時のCIAは妻の雅子皇太子妃へのイメージダウンになる様々な情報を次々と週刊誌にリークし、長女の敬宮《としのみや》愛子内親王殿下の学級問題にまで手を広げ、次期天皇に相応《ふさわ》しくない家族のイメージ作りを推し進めていた。

その目的は、当時の皇太子の家族と温厚な秋篠宮家とを日本人に比較させ、「こんなに問題がある皇太子夫妻でいいのだろうか？」と天皇家の危険を煽《あお》るためで、アメリカ政府は次期天皇を秋篠宮と期待した矢先、2016年8月8日、今上明仁《あきひと》陛下（現・上皇）が、突然「生前

退位（譲位）」を決行、大和民族の血を持つ（現）今上天皇徳仁陛下に皇位を譲ってしまったのである!!

これは昭和天皇の「玉音放送」に匹敵する憲法の越権行為で、アメリカ政府はあまりのことに激怒し、CIAが大あわてで自民党に指示したのが、秋篠宮の長女の相手で在日の小室（金）圭との結婚と同時に「女系天皇制」を強行採決し、小室（金）圭を宮家（準皇族）に昇格させる策だった。

ところが、母親の佳代をイスラエル政府の情報機関「モサド」が韓国名「kim kayoung」と公表、さらに借金問題が暴露され計画が一時頓挫《とんざ》する。

しかし、事が大きくなる前にCIAが手を廻《まわ》し、小室（金）圭をニューヨークの「フォーダム大学」にプリンス待遇で受け入れさせた。

後の作戦は、アルコール依存症で女性問題が多い秋篠宮を後継第一位から辞退させ、チャラ男の小室（金）圭が新天皇になるよう自民党に準備させることで、在日のチャラ男を天皇として日本人に受け入れさせるには、秋篠宮の長男・悠仁親王《ひさひとしんのう》が成人するまでの代役（準天皇）扱いにするしかない。

そのときの総理大臣が、同じチャラ男で鹿児島県の朝鮮部落出身の朴《パク》一族で横須賀のオバタリアンに人気が高い小泉（朴）進次郎になるよう仕向けるだけだ。

そうすると背骨を失った日本人は一気に委縮し、アメリカと朝鮮民族の奴隷になるというアメリカのRockefeller《ロックフェラー》の算段で、その奥の院にイギリスのRothschild《ロスチャイルド》がいる。

それには現在の天皇徳仁陛下を何とかする必要があり、CIAは韓国に命じて〝未来志向の日韓関係〟を掲げさせ「国賓」として天皇皇后両陛下を韓国に招待させ、その途上で飛行機事故を起こす段取りを計画していた。

その際、訪韓を断らせないよう、戦後最悪の日韓関係の最中に韓国が無理矢理「大嘗祭《だいじょうさい》」に送り込んだ当時の知日派の李洛淵《イ・ナギヨン》への返礼の意味も仕掛けてあった。

当時の韓国の首相・李洛淵をCIAが韓国政府に命じて日本へ送り込んだのは、その返礼として次期大統領が天皇陛下を招待する「アメリカ大使館（極東CIA本部）」が布石にするためで、2022年の韓国大統領選挙で勝利した尹錫悦《ユン・ソギヨル》のそれまでの韓国のNo－JAPANの掌《てのひら》返《がえ》しの日本急接近姿勢が見え見えだった。

高円宮久子様は戦後からアメリカの企《たくら》みを知る立場にあり、ハッキリと暴露できない立場でもあるため、その葛藤《かっとう》の中で天皇陛下に代わって態度を示せる唯一の皇室でもある。

その久子様が何もできない日本人に代わり、李氏朝鮮に対し最後通牒《さいごつうちょう》を下したのだ!!

高円宮久子様が日本を守護している

2020年11月8日、日本など世界中の「コロナ禍」を押して、アメリカの傀儡《かいらい》自民党は、皇位継承順第一位を定める儀式「立皇嗣《りっこうし》の礼」を執行、東京の「アメリカ大使館（極東ＣＩＡ本部）」の思惑通り秋篠宮が継承者に就いた。

そのあたりの事情は、在日の小室（金）圭を皇室に迎え入れたい秋篠宮の長女のため、母親の文仁《ふみひと》親王妃《しんのうひ》紀子《きこ》の意向が強く働いたため、異例の早期挙行になったとされる。が、秋篠宮家を動かすのが「アメリカ大使館（極東ＣＩＡ本部）」で、協力するのが小泉純一郎以降、日本名にロンダリングした在日が多数を占める自民党で、公明党が朝鮮民族支配体制に協力する姿が今の日本である。

日本人の菅《すが》（元）首相は李氏朝鮮系安倍晋三の尻拭《しりぬぐ》いの政権で、短命に終わる目的で選ばれたに過ぎず、長期政権化する恐れがある日本人の石破茂《いしばしげる》では「アメリカ大使館（極東ＣＩＡ本部）」が困ったことになるために潰《つぶ》された。

そんな雑多の思惑の中、世界中が非常事態下でも決行された秋篠宮家の挙行は、海外の信頼を失ったようで、紀子（敬称略）が個人的に各国の王室に連絡を入れたにもかかわらず「立皇嗣の礼」に対する海外王室の祝辞は一件もない異例の展開となった。

表向き静かな雰囲気の紀子の実態は、宮内庁関係者が異口同音に語るのは、父親の（故）川嶋辰彦学習院大名誉教授と同様に激しい気質という。

２０１７年４月21日午後３時、生前の川嶋が皇居に乗り込み、今上天皇陛下（現上皇）に向かって命令口調で激しく弾劾したので尋常ではない。

日本は朝鮮民族が支配する国と言わんばかりの態度で、こんな真似は日本人なら絶対にしないし、学習院の一人のOBは「考え方は日本人と大分違う」「自分の思い通りにする傾向が強い」「相手が誰であろうと遠慮がない」等から別の民族性を感じさせる。

それを証明する報道も『週刊新潮』等から多数出ていて、川嶋が新潟県上越市の遊技業「三井企画」の三井慶昭社長と韓国に何度も豪遊し、地元で三井社長といえばパチンコ業界初のフランチャイズチェーンを展開した企業で、その父の後を継いだ人物と川嶋は昔からの顔なじみとされる。

川嶋の在日疑惑はそれだけではなく、2007年に起きた「朝鮮総連本部ビル売却問題」で名が出た僧侶《そうりよ》・池口恵観《いけぐちえかん》との密会現場も報道され、それを仲介したのが在日の三井企画の古参と判明している。

池口恵観といえば小泉純一郎の父・朴《パク》純也と同じ鹿児島県加世田の朝鮮部落の出身で、戦後、マッカーサーとGHQが掲げた「在日特権」「在日就職枠」「特別永住権」をフルに使い日本名にロンダリングしてとんとん拍子に出世した男だ。

話を戻すと、秋篠宮には様々なスキャンダルがあり、タイの女性との間に隠し子がいるなど、到底、天皇陛下に相応しくない人物で、強度のアルコール依存症のため、2020年9月11日、紀子さまの54歳の誕生日を祝う映像で、本のページをめくる際、指先が小刻みに激しく震えるのが確認できる。

国際通なら分かるが、紀子独特の笑みは天皇家のアルカイックスマイルとは大分違い、「コリアンスマイル」という目尻を下げるだけで笑わない独特のものだ。

その秋篠宮家に反旗を翻すのが憲仁《のりひと》親王《しんのう》妃《ひ》久子《ひさこ》様で、「コロナ禍のなかで挙行とは……皇嗣殿下、皇嗣妃殿下は何をお考えなのでしょうか？」と強く反発、「立皇嗣を認めません！」と発言し、実際「立皇嗣の礼」には参列せず、10日の「祝賀行事」も欠席した。

「高円宮家は、このような立皇嗣の礼を認めていません!!」と告げ、それが皇族の品格とした!!

それに対し、紀子は酔った勢いで「久子さんは無礼よねぇ、私が皇后になったら追放しようかしら♪」と自信満々に発言できる裏に、久子様が生きている間に天皇徳仁陛下を韓国と「アメリカ大使館（極東ＣＩＡ本部）」が飛行機事故で暗殺するシナリオを知るからだろうか。

一方、久子様は、戦後、ダグラス・マッカーサーとＧＨＱが仕組んだ「皇室削除計画」を継承する「アメリカ大使館（極東ＣＩＡ本部）」が、合理的に天皇家を朝鮮民族と入れ替える布石に、ＣＩＡが皇室に送り込んだ秋篠宮を大和民族と認めず、何度も秋篠宮家の皇族追放を進言している。

かくして、久子様は天照大神の国を最前線で守護する存在となった!!

小室（金《キム》）圭氏の背後にちらつくＣＩＡ

ＣＩＡがコロナ禍で顰蹙《ひんしゅく》を買ってまで秋篠宮の「立皇嗣《りっこうし》の礼」を急いだのは、一刻も早く皇位継承第一位の座を秋篠宮家に確保しておく必要に迫られたからだ。

韓国の文在寅《ムン・ジェイン》の次期大統領として、今上天皇徳仁陛下の「大嘗祭」に一方的に出席した（当時）李洛淵首相を、ＣＩＡは知日派として次期大統領に仕立てる準備も然《さ》ることながら、在日韓国人の小室（金）圭を秋篠宮の長女と一刻も早く結婚させる必要に迫られていた。

ＣＩＡがチャラ男の小室（金）圭を大和民族の次期天皇陛下に仕立てるには、ニューヨークの「フォーダム大学」に小室を国賓扱いで入学させたものの、２０２１年春にそこを卒業してしまうからだった。

一方、秋篠宮は、２０１９年4月、マスコミの取材で「たとえ皇位継承第一位の皇嗣でも、年齢からみて即位は考えていない」と発言、これは小室（金）圭に道を譲る布石とみていいだろう。

２０１８年12月、自民党の大島理森《おおしまただもり》（当時）衆議院議長が、福岡市で行った講演で、２０１９年の「即位の礼」の後にでも、「女性宮家」の創設を急ぐ必要があると発言した。

そのことから自民党が在日天皇の準備を優先的に考えていることが明らかで、２０２１年10

月26日、秋篠宮の長女が小室（金）圭と結婚したため、小室（金）圭は労せずして持参金1億5千万円を手に入れたが、秋篠宮の長女は皇族から離れることになった。

いつまでもその状況を「アメリカ大使館（極東ＣＩＡ本部）」が許すはずがなく、小室（金）圭に天皇への道を開くには、「清和会」を中心に在日の巣窟と化した自民党に命じ、「女性宮家創設」を創価学会・公明党と一緒に法案化させることだった。

「女性宮家創設」を法案で通さなければ、小室（金）圭を秋篠宮の長女を介して皇室に捻じ込むことが出来なくなる。

圧倒的多数の自民党の議席数で「女性宮家設立」を強行採決すれば、秋篠宮の長女は結婚後も皇籍に復帰し、小室が自動的に皇室の一員あるいは準皇族となる。

２０２２年の韓国大統領選で勝利した尹錫悦《ユン・ソギョル》は、日本が韓国をホワイト国から排除した結果、韓国経済がコロナ禍で一気に傾き、２０２１年3月7日、韓国ウォンが急速に値下がり1ドル＝１２２０ウォン台から1ドル＝１２３０ウォン台までウォン安ドル高が進んだ結果、韓国の外貨準備高は２０２1年末に４１６7億７０００万ドルにとどまり、アメリカとの「通貨スワップ協定」６００億ドルの延長をアメリカが拒否、期限付き「為替スワップ（通貨スワップではない借金）」の支払いで大変な事態になった。

それまで韓国は日本との「通貨スワップ」を日本が望むなら結んでやってもいいという姿勢だったが、経済危機を前にそうも言っておられず、韓国経済界は再び「歴史問題」と「政治」

を切り離す調子のよさで日本に「日韓通貨スワップ」再開と「韓国ホワイト国入り」再開をねだってきた。

その代表が韓国新大統領の尹錫悦《ユン・ソギョル》で、今までの韓国の条約違反や様々な無礼を棚に上げるいつもの手口で〝未来志向の日韓関係〟を掲げ、こじれにこじれた日韓問題を修復する方法は天皇徳仁陛下の訪韓しかないと申し入れてくる段階に入った。

そのとき、韓国は「大嘗祭」出席の返礼の意味も兼ね、自民党を介して今上天皇陛下を「国賓」として韓国に招待することになるが、その背後に東京の「アメリカ大使館（極東ＣＩＡ本部）」の策謀がある。

「アメリカ大使館（極東ＣＩＡ本部）」は天皇徳仁陛下訪韓の行きか帰りで、搭乗するボーイング機が不慮の事故を起こす仕掛けをするからだ。

かくして今上天皇陛下と皇后が日本から姿を消し、代わりに秋篠宮が皇位継承第一位で受け継ぐことになるが、ＣＩＡの命令で辞退することになる。

すると、皇位継承第二位の秋篠宮の長男の悠仁親王《ひさひとしんのう》となるが、２００６年生まれで16歳、成人ではないため、成人するまでの一時的つなぎとして、眞子の夫の小室（金）圭が準天皇の地位に就くという段取りになっている。

それにはアメリカの傀儡《かいらい》の自民党が、安倍（李）晋三の最大派閥を総動員して「女性宮家設立法案」を通す必要がある。

が、それは同時に〝両刃《もろは》の剣《つるぎ》〟で、天皇陛下の第一皇女である愛子内親王を推古《すいこ》天皇と同様、「女性天皇」にする方が理に適うこととなる。

そのためCIAは、韓国から皇室に送る書簡に「愛子内親王も御一緒に招待致します」の一文を加えることになると思われる。

2020年11月20日、秋篠宮は赤坂東邸で誕生日を10日後に控えた会見の席を設け、自分の長女と小室（金）圭の結婚を認めると発表した。

全てが「アメリカ大使館（極東CIA）」のシナリオ通り確実に進んでいくかに見えたが、2022年7月8日、安倍（李）晋三が奈良市の「大和西大寺駅」北口付近で銃撃されて死亡する。

皇室内部の対立が意味するもの

高円宮久子《たかまどのみやひさこ》王妃と秋篠宮紀子王妃との対立は、単なる女同士のいがみ合いレベルではなく、「国体」がかかったもので、ある意味、天照大神を守護するか足蹴《あしげ》にするかの闘いといえた。

高円宮家は歴史から見ても明確に大和民族だが、秋篠宮家はGHQが一度解体した李氏朝鮮王族をCIAが当時の明仁《あきひと》天皇（現・上皇）に命じ、美智子妃殿下が生んだ子として捻《ね》じ込んだ李氏の赤ん坊だからだ。

朝鮮民族には「天照大神」への信仰心もなければ忠節もない。現・上皇の「生前退位（譲位）」で自分が天皇陛下になれなかった腹いせに、２０１９年の令和の「大嘗祭」に秋篠宮が「内廷費の3億2千万円の範囲で」と横槍を入れた。平成の大嘗祭を上回ったが、27億円でまかなわれた。

結果、男性皇族が使う「小忌幄舎《おみのあくしや》」は前回の4割に縮小、女性皇族が使う「殿外《でんがい》小忌幄舎」も縮小、神前に供える食事を調理する「膳屋《かしわや》」と新穀を保管する「斎庫《さいこ》」はプレハブとなった。肝心の「主要三殿」の「悠紀《ゆき》殿」「主基《すき》殿」「廻立《かいりゆう》殿」の屋根材も「かやぶき」から安価な「から板ぶき」となった。秋篠宮の発言は無茶ぶりで「神道」の主神を軽視する行為で、考え方によれば「天照大神」への献上を難癖でケチったことになる。

その後、太平洋上に史上最大の台風「19号」が発生、アメリカは「スーパー・ハリケーン」として、最悪の超巨大ハリケーン「カトリーナ（Katrina）」（２００５年8月）と同じ〝カテゴリー5〟の最大級で扱った。

「NASA／アメリカ航空宇宙局」と「NOAA／アメリカ海洋大気庁」は協力しながら気象観測衛星「スオミNPP」を使い、日本に接近する史上最大の超弩級《ちようどきゆう》台風に「ハギビス（Hagibis）」と名付けて目を離さなかったのは、アメリカでは存在しない〝カテゴリー6〟を主張する気象学者がいたからだ。

事実、２０１９年10月12日に日本に上陸した台風「19号」の渦状の雲の幅は南北２０００キロ以上で、日本列島を全て覆い尽くす途方もない規模となった。

これを他の台風と比較すると、同年9月9日に千葉県に上陸し甚大な停電被害をもたらした台風「15号」の強風域が東側330キロ、西側240キロだったが、「19号」は東側750キロ、西側650キロと3倍の規模で、あまりの勢力のため日本列島を横断した後、ロシア北東沿岸部に上陸、その後、アメリカのアラスカに上陸して死者を含む被害を与えている。

このとき、「大嘗祭」を控える皇居の「東御苑」に10月末完成予定の「大嘗宮」も無事ですまず、未曾有の勢力をもつ超弩級台風が皇居直撃コースで突入した結果、プレハブの「大嘗宮」は破壊された。

が、宮大工が結集し比較的短期間で「大嘗宮」を修復できたことは、皮肉にも秋篠宮がプレハブを推し進めた結果だった。

全ての打つ手が逆効果になるばかりの秋篠宮家だが、当時の皇嗣職は次のように危惧《きぐ》を述べていた。

「最近、紀子さまの計略はすべて裏目に出ているように思えます。皇嗣妃になれば、未来の皇后が確定ですが、『国母（韓国でよく使われる表現）となる私は、何をしても許される』という自信過剰のオーラが出ているように思えます」

「思い通りにいかないと、ヒステリーを起こされることが多く、御付きの者の離職も出ています。紀子さまが仰るには『これは愛の教育であり慈愛です』とのことですが如何《いかん》ともしがたく……」云々《うんぬん》。

これは李氏朝鮮の血統を持つ安倍（李）晋三も同様で、図に乗って「国王発言」をしたり、四月馬鹿の日に「元号を改める政令」を公布して「令和」を蔑んだり、「即位礼正殿の儀」で幾つもの無礼を働き、「桜を見る会」で違法に金を使ったり、「森友学園問題」では同じ朝鮮民族の籠池泰典《かごいけやすのり》に土地購入の便宜を図ったり、「加計《かけ》学園問題」では友人の加計孝太郎が理事長を務めるので「総理のご意向」で学校設立に便宜を図ったり、「伊藤詩織レイプ事件」では安倍御用記者の山口敬之の伊藤詩織へのレイプを揉《も》み消したり、「黒川東京高検検事長事件」では自分の身が危なくなったときの防壁に黒川検事長の定年延長の際に起きた賭けマージャン事件等々。

もはやこの国は在日が支配してから腐りに腐りきっている。

秋篠宮の矛盾した行動には何がある？

東京の「アメリカ大使館（極東ＣＩＡ本部）」がマスコミと有識者へのリークで情報操作してきたのは、秋篠宮家が理想的家族であることと、その一方で皇太子家（当時）に引退を勧め公務に不忠実な雅子様との離婚を勧めることだった。

１９９４年『正論』で「正論大賞」を受賞した西尾幹二は、『皇太子さまへのご忠言』（２０

08年）など、皇太子徳仁親王妃雅子について大々的なバッシングを展開、「朝まで生テレビ！」（2008年8月30日）や「たかじんのそこまで言って委員会」（2008年8月17日）で同じ主旨を繰り返した。

1992年『別冊太陽』春号の「輪廻転生《りんねてんしょう》」で、オウム真理教の麻原彰晃《あさはらしょうこう》と対談し、宗教集団として最後まで俗世間の法律を無視する手があると、オウム真理教の非合法活動を勧める発言をしたアメリカ生まれの宗教学者の山折哲雄は、「皇太子殿下、ご退位なさいませ」『新潮45』2013年3月号）で秋篠宮へ皇位を譲れと暗に進言していた。

これら日本の有識者たちはこぞって秋篠宮家を大激賞し、当時の皇太子（現・天皇陛下）を雅子様を利用して激しくバッシングをしていたのである。

当時、殆どの週刊誌のトップは「在日特権」「在日就職枠」「特別永住権」で無試験入社していた在日で占められ、「アメリカ大使館（極東CIA本部）」の在日ネットワークで出世して君臨し、CIAとの太いパイプを保ちながら、仮に現場が雅子様への称賛記事を書こうものなら必ずストップがかかり、全て無難な美智子妃殿下、紀子妃の称賛記事に差し替えていた。

ある宮内庁職員は皇位を奪う寸前にある紀子妃について以下のような近況を語る。

「紀子様は、とにかく週刊誌を気にしておられ、欠かさずチェックされますが、時折〝皇室（秋篠宮家）への敬意は国民（日本人）の義務です!!〟と仰るようになりました」

「事実を報じた記事にもクレームをつけられ、こちらとしては対応に苦慮しています」

紀子妃は「女性宮家創設」にご執心で、それを画策しているという報道や記事には難癖をつけていた。

それでも皇嗣家の宮妃となった紀子妃は、ゆとりをもったのか、自分には慈悲が満ちており〝すべての国民（日本人）を赦《ゆる》してやってもいい〟という優しいメッセージを語られるというが、日本人は皇室に対し赦しを請わねばならない真似は一切していない。

秋篠宮も、紀子妃も、秋篠宮の長女も、小室（金）圭も、小室の母親の韓国名「kim kayoung」も、秋篠宮がCIAの思惑通りに「自民党」と「公明党」の後押しで「立皇嗣の礼《りっこうしのれい》」を終え、次期天皇への「皇位継承権」を獲得したことに安堵《あんど》し、直後に秋篠宮の長女眞子と小室（金）圭の結婚を発表した。

秋篠宮は既に自分が皇位を継承することはないと宣言しているにもかかわらず、「立皇嗣《りっこうし》の礼」で儀式を受けた行為は、明らかな矛盾行為で天照大神への最大の侮蔑《ぶべつ》といえる。

それを平気でやれる秋篠宮家の性癖は、どんな手口を使っても権力が欲しい半島的発想といえ、あまりに朝鮮民族の性癖が露骨すぎるため、世界各国の王室から何の祝辞も得られなかった。

では秋篠宮は小室（金）圭の下で世捨て人のようになるかと言うと、実はとんでもないことを考えていることが見えてきた。

現・上皇は「前立腺がん」を患い余命はそう長くなく、それがどういうことかというと、秋篠宮が狙っているのは皇位継承第一位を踏み台にした〝上皇〟の地位に就くことにある。

そうすれば、秋篠宮文仁《ふみひと》上皇、小室（金）圭天皇、悠仁《ひさひと》皇太子の全てが出揃い、紀子妃は完全に奴隷と化した日本人への慈悲深い〝国母〟となるのである‼

計算しつくされたアメリカのシナリオ

戦後、ダグラス・マッカーサー率いる「GHQ」が、日本人を完全支配下に置く「WGIP（戦争罪悪感プログラム）」を朝鮮民族を利用して発動、マッカーサーの帰国後、東京の「アメリカ大使館（極東CIA本部）」に引き継がれ、在日を「在日特権」「在日就職枠」「特別永住権」で全国公立大学に無試験で入学させ、同時に四大新聞社、TV局、大企業、芸能界、政界へと送り込み、霞が関でさえ高卒でもエリートにしていった。

現在、彼らの殆どがマスコミ、大学、芸能界、霞が関、警視庁、検察庁の上層部を占め、彼らは全て日本名にロンダリングしているため、日本人に全く気付かれることなく今もCIAの命令通り忠実に動くことで膨大な利益を独占する。

特に芸能人の多くが在日で占められ、その他多くの芸能記者、放送作家、新聞記者、評論家がCIAから指示された情報を日本中に垂れ流す。

そんな中、秋篠宮の長女と在日の小室（金）圭との結婚受諾から一気に「小室（金）圭さん大好き祭!!」が開始された!!

今から「秋篠宮家大〜好き（在日朝鮮民族大喝采祭）!!」の週刊誌や新聞記事の一部を抜粋してみよう。

……11月30日に報じられた秋篠宮さま55歳の誕生日にともなう会見で、眞子さまと小室（金）圭さんについて、結婚を認める発言をしたことが大きな話題を集めた。世間は「小室（金）圭さん」が気になって仕方ない。

……お茶の間の好感度が高ければ高いほど、落ちたときにそこから回復するのは難しい。愛子さまや、眞子さまや佳子さま、悠仁さまは、国民の多くが親目線で見守る部分があるので、お相手となる人には厳しい評価をするものです。国民も、秋篠宮さまと同じ気持ちなんですよ。

……小室（金）圭さんというひとりの男性について、なぜこんなに世間が気になっているのだろうか。昔のスターは私生活が不透明なだけにカリスマ性を感じ、多くの人を魅了してきました。小室さんの場合も不透明さが多いだけに、ある意味、国民を惹《ひ》きつけるのではないでしょうか。

……そのミステリアスな魅力を、先に出たギャップがさらに増幅させていく。一連の金銭トラブルの対応から、「よさそうな人」だったのに「なんでこの人と?」という親目線の心理になり、より気になる存在になったのではないでしょうか。

……放送作家としても小室さんは「気になる存在」。「まぁ、彼がタレントになることはないでしょうが」と苦笑しつつ、テレビマンとして彼に感じる魅力を語る。

……トーク力は全然わからないですが、ストレートにプライベート密着は、すごく興味をひくと思います。あとは、クイズ番組や料理番組などでどんな感じになるかというところも気になりますね。

……しゃべったら意外に天然だったり、ときどき噛《か》んだりすると、一気に好感度が獲得できそうな気もしますが（笑）。

……国民が気になって仕方ない「小室（金）圭さん」という存在。眞子さまとの交際発覚から3年がたち、目に見える前進はないが、おふたりが結婚したとしても、その存在感の強さは消えることはなさそう。

……秋篠宮親王が11月30日に55歳の誕生日を迎えて、眞子さまの結婚を初めて「認める」と述べられました。会見では日本国憲法を引用して、「結婚は両性の合意のみに基づく」という憲法に定められた「結婚の自由」を尊重すると発表されました。

……眞子さまには、ゴシップに負けないひたむきな思いがあると判断されたのでしょう。本人たちが本当にそういう気持ちであれば、親としてはそれを尊重すべきと決断されたものと思います。

……筆者はこれまで、小室さんに関する報道に違和感を覚えていました。宮内庁がなぜ、事前に調べなかったのでしょうか。小室さんに厳しい批判を浴びせても、宮内庁の不備について識者も一切触れないのはなぜでしょうか。

……各ニュース社の報道にも首をかしげるものが少なくありませんでした。

小室さんの出自や借金問題が明るみに出ると一斉に批判に転じたことは記憶に新しいところです。

……「血税が使われるから」「眞子さまは皇族だからダメ」と指摘する人がいます。しかし、皇室や皇族に対して「あるべき論」を押し付ける権利など誰にもありません。また、普段、皇室に関心のない人がこのときとばかりに飛びつくさまは不可解です。

……眞子内親王殿下が「生きていくために必要な選択」とお気持ちを発表され、秋篠宮文仁親王が結婚を「認める」と発言されているのです。これ以上追い回す必要などありません。私たちには温かく静かに見守ることが求められているはずです。

これからが本番の「在日朝鮮民族祭」で、実現するかどうか現段階ではまだ不透明だが、ハリウッド映画が日本のプリンス（小室（金）圭）とプリンセス（秋篠宮眞子）の国境を越えた愛の物語の映画化を企画中とされ、日本を初め全世界でロードショーを推し進める計画があるという。

果たしてマッカーサーが言うように、日本人の頭は12歳程度で、簡単に物事を水に流して忘れ去るオバカなら、アメリカ人の計算し尽くされた策謀と、手を変え品を変える波状攻撃に耐えられる日本人はいないない計算になるが？

「ロシア＋イスラム連合軍」による「第三次世界大戦」の可能性

２０１５年１月７日、フランスの左派系週刊風刺新聞『シャルリー・エブド』の本社にイスラム過激派テロリスト２人が「アッラーフ・アクバル（神は偉大なり）」と叫び、編集会議中の編集長、編集者、風刺画家、コラムニストらに５分間も銃を乱射、警備をしていた警官など招待客を含む12人を殺害した。

２０２０年10月16日、フランスでイスラム教（ムスリム）のムハンマド（マホメット）の風刺画を使った授業を行った中学校教師サミュエル・パティが、チェチェン人の18歳のアブダッラー・アンゾロフにイスラム式に首を切断され殺された。

同様の出来事は、１９９１年７月11日、イギリス人作家サルマン・ラシュディの小説『悪魔の詩』を翻訳した「筑波大学」の助教授五十嵐《いがらし》一《ひとし》が、イスラム教に対する罪として同大学のエレベーターホールでイスラム式に首を切られて殺害された。

このとき、自民党の宮澤内閣は犯人が遺体発見当日に成田から緊急帰国した筑波大学短期留学のバングラデシュ人学生と知っていたが、イスラム諸国との関係悪化を恐れて捜査を打ち切り、日本人の被害家族を見捨てている。

一方、今回のフランス政府の対応だが、若き指導者エマニュエル・マクロン大統領は「シャルリー・エブド事件」の判決後の2020年9月1日、訪問先のレバノンで「我が国では冒瀆《ぼうとく》する権利が認められる!!」と発表し自由を擁護した。

マクロン大統領は、西側諸国の常識ともいえる「政教分離（フランス語：ライシテ）」を述べたが、イスラム諸国を筆頭に「政教分離」を常識としない国が多数存在する。

日本もその中の一国で、建て前は「政教分離」でも宗教団体「創価学会」を母体とする「公明党」を認可する国で、結果として「幸福の科学」に国政選挙参入権を認め、麻原彰晃支配の「オウム真理教」の政界進出失敗による暴走劇を招き寄せた。

それればかりか、安倍（李）晋三を暗殺したとされる山上徹也の証言で明らかとなった韓国のカルト「(元) 統一教会」が、自民党とズブズブの関係で、選挙運動に協力する以上の連立状態だったことが判明した。

これは在日国会議員が多数自民党に存在することの証拠で、岸（李）信介当時からのアメリカの仕掛けといえる。

自民党政府は「いかなる宗教団体も、国から特権を受け、又は政治上の権力を行使してはならない」とする憲法の大原則（憲法20条1項後段）を曲げてでも、「創価学会」を憲法違反に該当せずとしたのは何故か？

「創価学会」の政治参入を認めたのは「内閣法制局」で、終戦直後、日本を支配したマッカーサー率いる「GHQ」が「WGIP（戦争罪悪感プログラム）」を拡大させるため、多くの在日朝鮮民族を「在日特権」「在日就職枠」「特別永住権」で日本の主要分野に送り込ませていた。

それにより「内閣法制局」に送り込まれた朝鮮民族が東京の「アメリカ大使館（極東ＣＩＡ本部）」の名指しによる後押しで、１９６４年11月に認可したが、同年同月に岸（李）信介の弟、佐藤（李）栄作内閣が発足したのは偶然ではない。そこで同民族の池田大作会長が支配する「創価学会」の「公明党」を認可したため、お役人に頭を下げるのが常の日本人は誰も文句を言わなかった。

一方、フランスの言論の自由の「冒瀆する権利」は、日本人のいい加減さと比べて立派に思える反面、マクロン大統領の発言に怒ったトルコのレジェップ・タイイップ・エルドアン大統領の「彼は精神的治療を受ける必要がある!!」発言は許せなかったようだ。

早速、アンカラの駐仏大使館からフランス大使を帰国させている。

そこが血気盛んで若いマクロン大統領で、この矛盾した行動の背景に垣間見《かいまみ》えるのが、かつてイスラム圏を植民地にした大フランスに対するアラブ系人種からの侮辱と、イスラム教徒への侮辱を〝別〟とする白人至上主義が露呈しているとも言える。

これが全イスラム圏に伝播《でんぱ》し、最終的にイスラムの王子を自負するイランを敵に回すことは必然で、フランス国内だけでなくＥＵ圏で過激派テロを増大させ、結果的に右翼化するヨーロッパでイスラム教徒への迫害が加速することからイランを激しく刺激することになる。

そこで懸念されるのが以下のノストラダムスの四行詩である……。

「フランスの暴走と　怠慢により
マホメットに　小道が開かれる
イタリアの国土も海も血まみれになり
マルセイユ港は　艦船で埋め尽くされよう」
（『ノストラダムスの大予言』第1の18）

これはフランスの経験が浅い一人の若い政治家の失策を預言した内容で、彼の発言がイスラム諸国に攻撃の口実を与え、十字軍の宿敵のバチカン市国も含め、フランス最大の港湾都市マルセイユもイランと同盟を結ぶことになるロシアの「黒海艦隊」に攻撃制覇され、EU全土が核兵器で殲滅《せんめつ》される内容とも思える。

こうして「ロシア＋イスラム連合軍」による「第三次世界大戦」が勃発《ぼっぱつ》し、ロシアと裏で連携する中国も限定核戦争のドサクサで日本を核攻撃できるようになる……。

「赤い牝牛《めうし》」誕生と「第三神殿」建設

イギリスの大衆紙「Mirror《ミラー》」（2017年9月8日付）は、同年8月28日、イスラエルに2000年ぶりの「赤い牝牛」が誕生したニュースを報道した。

その紙面にイスラエルの神殿研究所所長チェイン・リッチマンの「今回の赤毛の牝牛の誕生

は、我々の悲願の第三神殿再建の時を示す印《しるし》と信じる」というコメントも掲載された。

赤い牝牛の誕生は、イスラエルの「第三神殿」建設を望む非営利団体「テンプルインスティチュート」の3年に及ぶ「赤い牝牛育成プロジェクト」の一環で、赤い牝牛の誕生が「第三神殿」建設のトリガー（引き金）になると『旧約聖書』に預言されているとする。

「主の命じる教えの規定は次のとおりである。イスラエルの人々に告げて、まだ背に軛《くびき》を負ったことがなく、無傷で、欠陥のない赤毛の雌牛を連れて来させなさい。それを祭司エルアザルに引き渡し、宿営の外に引き出して彼の前で屠《ほふ》る。祭司エルアザルは、指でその血を取って、それを七度《たび》、臨在の幕屋の正面に向かって振りまく。そして、彼の目の前でその雌牛を焼く。皮も肉も血も胃の中身も共に焼かねばならない。」（「民数記」第19章2～5節）

その牝牛は体に傷がなく、くびきを負ったこともない（労働していない）赤い牝牛で、それを生贄《いけにえ》とし、その血で会見の天幕（移動式の神殿）が清められ、その後、祭壇で焼かれた灰が湧き水と混ぜ合わせられて「罪を清める水」が作られたという。

牝牛を焼くには生贄《いけにえ》を行う「祭壇」がなければならず、その祭壇は「神殿」とセットなので神殿がなければ何の意味もない。

この赤い牝牛誕生を切っ掛けに一気に「第三神殿」の建設開始と考えられたが、全くその気配がなかったのは何故なのか？

実はイスラエルの動きと連動する国があった……アメリカ合衆国である!!

アメリカのドナルド・トランプ大統領は、エルサレムをイスラエルの首都と承認したのが2017年12月6日、次いでアメリカ大使館をエルサレムに移転したのが「イスラエル独立宣言70周年記念日」の2018年5月14日だった。

では何故トランプ大統領というイスラエルにとって最大の味方がいる間に「第三神殿」を建設できなかったかというと、神殿の核となる「ユダヤの三種の神器」と「契約の聖櫃《せいひつ》アーク」を手に入れられなかったからだ。

それがなければ「仏造って魂入れず」となり、〝御神体〟となる「十戒石板」「マナの壺《つぼ》」「アロンの杖」の三種の神器と、それを収める箱の「契約の聖櫃アーク」を「至聖所」に置けないので建設ができない理屈となる。

裏返せば、それらがどこにあるかを知っているため、イスラエルは「第三神殿」建設を掲げることができるのである。

実はイスラエルが欲しいこれらの全てが日本にある!!

「2枚の十戒石板（2枚の合わせ鏡の八咫鏡《やたのかがみ》）」は「伊勢神宮（内宮《ないくう》）」にあり、「マナの壺（真名之壺＝八尺瓊勾玉《やさかにのまがたま》）」は「外宮《げくう》」に、「葉や茎が巻きついたアロンの杖（草薙《くさなぎ》之剣《のつるぎ》）」は「熱田神宮」にあり、近々「伊雑宮《いざわのみや》（いぞうぐう、とも）」へ移譲される。

「契約の聖櫃アーク」は本神輿として「内宮」の地下にあり、古代ヘブライ語が刻まれた2枚の大理石（八咫鏡）の板を収めている。

日本の天皇陛下が国体である「璽《しるし》」を保持する限り、イスラエルは「第三神殿」を建設できず、仮に建設できても何もできない。

『旧約聖書』の記述を参考にレプリカは造ってあるが、本物が日本に存在する以上はダミーに過ぎず、かと言って最悪の場合はダミーを使うしかないジレンマにある。

それとは別に一つ気になるのは、アメリカの保守系メディア「Breitbart《ブライトバート》 News《ニュース》」（2017年9月10日付）が報じた記事に、赤い牝牛誕生のタイミングで前アメリカ大統領バラク・オバマが突然活動を再開、「アメリカ大統領選挙2020」でバイデン候補の応援に熱意を燃やし、どちらが大統領候補か分からないほどだった。

赤い牝牛は3カ月の査定機関を過ぎたことから次の牝牛の誕生を待つことになるが、これら一連の動きがやがて途方もないうねりとなり世界を一気に呑み込む可能性がある!!

「第三神殿」建設と「三種の神器」強奪計画

イスラエルが独立する最大の理由が「第三神殿」の建設で、ゴラン高原の支配も、第一次・第二次中東戦争も、エルサレム奪還も、その全てが預言にある「第三神殿」を建てるためとされる。

日本人のクリスチャンの多くは間違っているが、アシュケナジー（白人）系ユダヤがイスラエルを建国する最大の理由は「ユダヤ教」の世界伝道のためではなく、むしろユダヤ教徒は「ユダヤ教」を異教徒や他国に伝える気は全くない。

そもそも「シオニズム運動」とは、国を持たない民族の長年の悲哀を舐《な》めた経験から、最小限の権利を国際的に主張できる〝国家という単位〟を建国の父ダヴィド・ベン＝グリオンを筆頭に推し進めた極めて政治色の強い運動を指している。

さらに言えば、アシュケナジー系ユダヤ人の商売の信用、つまり経済力のための国家を必要としたからである。

「第三神殿」の建設もユダヤ教徒のためであり、世界のためでは全くない。

実際、イスラエルの政治家は必ずしも熱心なユダヤ教徒ではなく、経済人も同様で、むしろ多くの場合ユダヤ教のラビ（宗教的指導者）と仲が悪いか対立関係でさえある。

それでも「第三神殿」の建設はユダヤ教徒の喜びであり、それが「イスラエル建国70周年」の2018年なら最高だったはずで、既に赤い牝牛が誕生していたし、最大の庇護者《ひごしゃ》のトランプ政権下でもあったはずで、一体何が邪魔して建設できなかったのだろうか？

以下の時系列の表を見れば、イスラエルが「第三神殿」を建てる最大のチャンスが2018年だったことが分かるはずである。

2017年8月28日：イスラエルに「赤い牝牛」が誕生。

2017年12月6日：アメリカがエルサレムをイスラエルの首都と承認。

　　２０１８年５月14日‥「イスラエル独立宣言70周年記念日」
　　　‥アメリカ大使館がエルサレムに移転。

前回も指摘したが、「第三神殿」に不可欠なのが〝御神体〟となる「ユダヤの三種の神器」と「契約の聖櫃アーク」で、それを手に入れる最大のチャンスを失ったことが最大の原因だったと思われる。

その最大のチャンスというのが２０１６年８月８日の第１２５代天皇明仁《あきひと》陛下による「生前退位（譲位）」だった!!

当時の「アメリカ大使館（極東ＣＩＡ本部）」は天皇明仁陛下に秋篠宮文仁《ふみひと》親王を選ぶことを指導、それが国民の総意として圧力をかけていた。

現・明仁上皇は、占領軍がやって来た１９４５年８月の段階では12歳で、連合国軍最高司令官ダグラス・マッカーサーは、皇太子を称して「日本人はアングロ・サクソンの12歳程度の頭しかない（今のまま12歳程度の思考でいる方が身のためだ）」と脅していた。

その証拠に「ＧＨＱ（連合国軍最高司令官総司令部）」は、当時の明仁皇太子の誕生日（12月23日）をわざと選び、「巣鴨《すがも》プリズン」に捕えてあったＡ級戦犯の東条英機、広田弘毅ら７人の絞首刑を執行している。

その意図は明確で、「アメリカに逆らうな。そうでないと誕生日の夜に絞首刑にする」というメッセージだった。

さらに、皇太子の教育、趣味、スポーツ（テニス）等、多くの日常生活をアメリカナイズされたものとし、美智子妃殿下もアメリカ式に子供を育てる様子を見て、多くの右翼連中は情けない皇室になったと嘆いたが、GHQを引き継いだ「アメリカ大使館（極東CIA本部）」は上々の出来と喜んでいた。

その後、李氏朝鮮の男子の秋篠宮文仁《ふみひと》をCIAから押し付けられても、天皇明仁陛下は喜んで受け入れる姿を見て、CIAは内心で腑《ふ》抜《ぬ》けと蔑んだという。

2016年7月13日、アメリカの傀儡《かいらい》で在日が支配するNHKが、『NHKニュース7』で「天皇陛下が数年内に生前退位の意向を示している」の暴露ニュースを流した。

「アメリカ大使館（極東CIA本部）」が宮内庁に送り込んだ秋篠宮付き宮内庁職員（スパイ）からの情報で、「アメリカは知っているぞ!!」のメッセージだった。

この頃、雅子皇太子妃と愛子様へのバッシングがCIAによるマスコミ誘導で煽動《せんどう》され、国民は秋篠宮の方が天皇陛下に相応しいと思い始めていた。

NHKに対し宮内庁側は「あり得ない!!」「事実と異なる!!」と反論したが、実際は5月半ばに風岡典之《かざおかのりゆき》宮内庁長官と河相周夫《かわいちかお》侍従長らの会合があり「生前退位」が検討され、それが秋篠宮側のスパイ職員を通してCIAに漏れたのである。

CIAは天皇明仁陛下に使者を送り、秋篠宮に皇位を移譲することを確認して安心したが、2016年8月8日、天皇自身による「おことば」が放送されるや、秋篠宮への譲位の言葉は一言もなく〝健康問題〟に終始した結果、自動的に退位＝徳仁皇太子への譲位となった!!

アメリカは最後の最後で当時の天皇明仁陛下にしてやられたのである!!

それは戦後GHQが禁止した『忠臣蔵』を地でいく話で、昼行燈《ひるあんどん》と揶揄《やゆ》された大石内蔵助《くらのすけ》が最後の最後で討ち入りを果たしたということだ。

結果、小室（金）圭天皇から「三種の神器」と「契約の聖櫃アーク」を頂戴した後、イスラエルに運び込む企《たくら》みは水泡に帰した!!

慌てたのが古代エジプトのラムセスⅡ世の血を引くバラク・オバマで、ロスチャイルドとロックフェラーの指示で政界への再進出に乗り出してきた。

第2章

陛下暗殺プランの闇《やみ》

皇居正門石橋

大和《やまと》民族の超秘密が世界を動かす

「大和民族」は須《すべ》からく皇祖神である天照大神への礼を失せぬよう日本国を聖別して日々を祭礼に捧《ささ》げ、地名一つにも「韻」を踏む「ヤ・ゥマト（ヤハウェの民のヘブライ語）」だったが、一方の白人のアシュケナジー系ユダヤも「カナン人」を介して選民を名乗りユダヤ密教「カッバーラ（カバラ）」を学んできた……それも本気で!!

その影響はヨーロッパの歴史に深く根付き、アメリカの歴史に絶大な影響を与えてきた。

欧米はギリシア文字や英語などの「表音文字」で「韻」を踏み、漢字を『聖書』から創り出した秦氏《はたし》のような「表意文字」ではない分、「韻」への踏み込みが浅く表面的だった。

カトリック教会のバチカンも暗に認める〝13日の金曜日〟も「韻」で、ゲマトリア（数秘術）から「1＋3＝4」となればヤ・ゥマトの「4＝死」が出て「四方に立つ殺戮《さつりく》の天使」につながるが、ヨーロッパでは「1・3」でイエス・キリストの唱えた「父・子・聖霊」を一つとする「三位一体思想」の骨子となり、〝神三神分け〟の「神学」へ導き、さらに現在の法王庁に至っては「13」の「3＝父・子・聖霊」より前に立つ「1＝ルシフェル（第4の神）」を最高神とし、イエス・キリストは救済に失敗したと判断するに至っている。

既にカトリック教会は、天地創造の「月火水木金土日」を「日火水木金土」と改め、失敗した神に日曜日は必要なく、ルシフェルの天地創造を求める天界の大戦争をやり直す仕掛けとしている。

「ルシフェル」の意味は「光を運ぶ者」で「金星」の〝明けの明星〟を象徴する熾天使《していし》だが、それと同じ「金星」の「ヤハウェ（英語：エホバ）」は〝宵《よい》の明星〟で、約束の紅星と共に一番星が現れる時間帯にベツレヘムで誕生した。

同じ金星でも明けの明星の「ルシフェル」は、天界で全人類を無条件で救うことを宣言、その代わり地上に生まれる全人類は「自由意思」の放棄を条件とした。

一方の「ヤハウェ」は「自由意思」を根幹に置く姿勢を貫き、自分の意思で救いを求めることを最優先の世界を創造すると提案、多くの天使たちはヤハウェを支持、ルシフェルと仲間の天使は天界から落ちて闇へと下った。

実はルシフェルが真に望んだのは「父」の持つ絶対的地位の強奪で、大勢の天使を誘導して父を最高位から引きずり降ろすことだった。

このことから、同じ「金星」でも救世主の象徴の「太陽（光あれ）」の強烈な光が差すと、ルシフェルの明けの明星は輝きを失って消えてしまう。

４００年前に「木星」の大赤斑の真下の超弩級《ちょうどきゅう》火山「クロノス」から噴出した「金星」は灼熱《しゃくねつ》の巨大彗星《すいせい》だったため、２本の光の尾を背後に引く「牡牛《おうし》」の角に見立てられ、それ以降「光＝角」は発音も似た同義語となり「牡牛」が光を運ぶ存在の象徴となった。

古代イスラエルでも「神殿」の水盤を支える「牡牛」は救いの象徴で、シナイ山でアロンが「牡牛」を鋳造したのも神の象徴だったからだ。その証拠に「牡牛」を火で焼く「燔祭《はんさい》」の聖獣とし、一方のカナン人も「牡牛」を〝光を運ぶ熾天使〟の象徴とし、巨大な牡牛の像を鋳造して子供を生贄《いけにえ》に捧げていた。

今回の世界規模の「コロナ禍」も「バベルの塔」の統治者ニムロドの直系で、後の「カナン人」の長のとなるロスチャイルド（党首がそう発言している）が、傍系のロックフェラーに命じ、日輪（日本）の名の「コロナ」を使ってビル・ゲイツのワクチン「プリオン蛋白質ウイルス」を接種させ、世界人口を5億まで間引きする大殺戮《だいさつりく》を開始する。

世界の資金（1京ドル以上）の7割を支配するイギリスのロスチャイルドとアメリカのロックフェラーの前では、どんな大国や軍隊も敵ではなく、国境を越えて大統領、首相、政治家、軍隊、巨大メディア、官僚、大企業、学者、医学者、検察機構、警察機構、国連機構、宗教組織に命令を下すことができる。

それが「イルミナティ」の持つ超巨大組織力と無限の財力で、狂信的信者が世界中に無数にいて大統領や首相クラスの人間でもロスチャイルドに従う。

世界中の人々は見せ掛けの「コロナ騒動」に惑わされ、気付いたときは世界から王族が消え、政府が消え、国が消え、国連が消え、国境が意味をなくし、78億8000万人の世界人口が、蛋白質感染の「コロナワクチン」の接種で75％が死に絶え、死屍累々《ししるいるい》たる死骸《しがい》はスグに液化して骨しか残らない。

ユダヤ教、キリスト教、イスラム教の「世界三大宗教」の聖地エルサレムに建つ「第三神殿」は、ロスチャイルドの神バアルが祀《まつ》られ、世界はノーベル平和賞のラムセスⅡ世の末裔《まつえい》「バラク・オバマ」と「教皇フランシスコ」の祭政一致で支配される。

ロスチャイルドは白人に化けた（アルビノ／白子）のネグロイド系ハムの直系で、南ユダ王国滅亡のときに隣国「ハザール汗国」に大挙して逃れ、その後ハザールのコーカソイド（白人）と混じって白人に化けたロスチャイルドにすれば、ハザール汗国のアシュケナジー系ユダヤもやがて邪魔となる。

ロスチャイルドはイギリスに住んでいても「ハム・メイソン」の世界金融の中核はスイスのジュネーブに置かれ、「永世中立国」をカモフラージュにさらに巨大化していった。

騙《だま》されたと知った世界中の軍隊がエルサレムに押し寄せる中、ロスチャイルドに寝返った英米軍が彼らを迎え撃つ。

本来ならロスチャイルドは天皇から「第三神殿」のため「三種の神器＆アーク」を奪っていたはずだが、天皇陛下を討ち漏らし、逆に目覚めさせた結果、生き残ったヤ・ゥマトと共に極東からアークを担いでエルサレムを目指して来る羽目に陥ることになる。

マン島の八咫烏《やたのからす》は表の「ヤフェト・メイソン」の本部と足並みを揃え「ヤフェト・メイソン」と「セム・メイソン」の一体化を図り、史上空前の権力を持つに至った「ハム・メイソン」のロスチャイルドとロックフェラーと真の最終決戦「ハルマゲドン」へと向かう。

エルサレムで悔い改めを告げる大和民族とヨセフの末裔二人の預言者を獣が抹殺し、エルサレムに近づく大和民族の本隊を壊滅するため、聖徳太子が世界を滅ぼす黒い悪鬼「鳩槃荼《クハンダ》」と預言したバラク・オバマは、ついに「最終兵器」に手を掛ける……!!

前述した通り、終戦後、ダグラス・マッカーサー率いる「GHQ／連合国軍最高司令官総司令部」が在日を利用して日本人を支配する「WGIP／戦争罪悪感プログラム」を発動、それを「アメリカ大使館（極東CIA本部）」が継承して「在日特権」「在日就職枠」「特別永住権」を駆使し、無試験で大学、TV局、新聞社、大企業、大学、警察、検察、裁判所に送り込み、政界、霞が関、芸能界も在日が圧倒支配し、韓国籍で兵役逃れをする韓国人も「通名」で日本人を名乗り霞が関や大企業に無試験就職し、管理権を支配した後、「上級国民（Senior citizen）」となって左団扇の特権階級の生活を満喫している。

日本の政界の与党も野党も在日が支配しており、どちらがなっても在日支配構造が変わらないのが実態で、その在日も世代を経るに従い日本人化し、日本列島を半島以上に愛する「コリアJAPAN」を建国、日本人が「在日支配システム」を支える奴隷制が出来上がった。

戦後75年を超える世代変化が起きる中で、半島の青瓦台《せいがだい》を支配する「両班《ヤンパン》」との対抗意識も生まれ、在日の愛国心に日本人が頼る構造が完成した。

一方、アメリカは日本の中野学校が築いた「北朝鮮」と、アメリカが支配する「韓国」と、在日が支配する「コリアＪＡＰＡＮ」の三位一体化で極東全体をコントロールしようとしている。

そんな中で「天皇徳仁陛下」だけがロックフェラーの目の上の瘤《こぶ》で、皇室を在日と入れ替えるため、ＣＩＡが（現）上皇夫妻に送り込んだのが李氏の血を引く秋篠宮と、在日の紀子だったが、上皇陛下の「生前退位（譲位）」で秋篠宮天皇の目的が果たせず、大慌てで変更したのが在日の小室（金）圭を秋篠宮の長女と結婚させて皇室へ送り込み、（現）天皇徳仁陛下を亡き者にした後、小室を次期天皇にする策略だった。

ところが、思いのほか小室への日本人の反発が強く、一旦、長女の皇籍を外す余裕が出てきたのは、天皇徳仁陛下の暗殺を狙《ねら》いコロナ禍を利用した「ファイザー製」の猛毒ワクチンを接種させることに成功（？）したからである。

近く、「ファイザー製」ワクチンを接種した（現）上皇はこの世を去るはずで、アルコール依存症の秋篠宮が天皇ではなく上皇位を継いで後見人となれば日本人は納得する!!

ＣＩＡは「ボーイング社」の旅客機全てに、外部からシステムジャックするチップを埋め込ませてあり、軍事衛星を介してＣＩＡが自由にコントロールした上、衝突させたり、墜落させることができるようになっている。

要は精密誘導でリモートコントロールする巨大なラジコン機に変貌《へんぼう》させることで、２０１４年３月８日に消息を絶った「マレーシア航空３７０便」もこの手でコントロール権を奪われ、無線もシャットダウンされた上、遠くインド洋沖まで運ばれてから後尾を一気に下げられ海面に墜落させられている。

使われた機種は「ボーイング777－200ER」で、中国の手に渡っては困る「電磁式カタパルト」の設計図と重要部品と、中国に引き抜かれた技術者全員が他の乗客乗員と共に死亡している。

イルミナティが最大に利用する国が世界最大の覇権国家アメリカで、今回突発的に始まったかに見える「コロナ禍」も、様々なトリックとマスゴミ誘導を見る限り「9・11」の頃から既に始まっていたことが見えてくる!!

日本が世界を統一する?

「太平洋戦争」が日本の敗戦で終わったとき、日本人の脳裏から消えた思想は「神国日本が負けるはずがない!!」という明治以降の「国家神道」と「富国強兵」の両輪が植え付けた〝神国不敗信仰〟だった。

戦後教育では、それは〝狂信的思潮〟とされ「GHQ／連合国軍最高司令官総司令部」により封印されたが、では逆になぜ〝不敗信仰〟が出てきたかというと、「日清戦争」(1894～95年)で「眠れる獅子《しし》」とされた中国に勝利し、「日露戦争」(1904～05年)では大国ロシアに勝利し「樺太《からふと》（サハリン）」を割譲させたからだ。

その後、日本に敗北した「清《しん》」に欧州列強は日本への戦争賠償金で財政悪化の足元に乗じて入り込み、租借地《そしゃくち》などの権益の縄張りを認めさせ、イギリスは「香港」等を手に入れた……が、アメリカは「南北戦争」（1861〜65年）による混乱で略奪に出遅れてしまう。

一方、「日露戦争」で日本に勝てなかったロシアは、共産主義革命につながる「血の日曜日事件」（1905年）から始まる「ロシア第一革命」（〜1907年6月）が勃発《ぼっぱつ》、続く「ロシア第二革命（2月革命から10月革命）」（1917年）によりニコライⅡ世一家が銃殺刑になり「ロマノフ王朝」が消滅する。

国民感情的に見ればだが、当時の順から言えば次の相手は大国アメリカで、アメリカを倒せば日本は世界一になる……が、それは現実を知らない一般民衆だけで、少なくとも当時の政府は日清日露の戦いの出費で国の台所は火の車で、到底戦争どころではなく、第一に「日清日露戦争」と言っても敵の本国に攻め込み占領した戦争ではなかった。

そこで日本は力を付けるため、まずアジアを統一する「大東亜共栄圏《だいとうあきょうえいけん》」を掲げ、欧米列強をインド、インドシナ、シナ（中国）、他のアジア諸国から追い出す構想を練り、同時に世界を統一する「五大洲統一《ごだいしゅうとういつ》」思潮が登場してくる。

「五大洲」とは、地球上の「アジア・ヨーロッパ・アフリカ・アメリカ・オーストラリア」の総称、あるいは「ユーラシア・アフリカ・北アメリカ・南アメリカ・オーストラリア」の五大陸をいう。

では、なぜ日本が世界を統一するかというと、明治〜大正の思想家・木村鷹太郎《きむらたかたろう》による「外《そと》八洲《やしま》（世界）内八洲《うちやしま》（日本）史観」にあり、「記紀」に登場する地名や神名は全て中東を含む外国のもので、日本は世界を統一する運命から逃れられないとし、そこに「神国日本思想」の根幹「八紘一宇《はっこういちう》」が起爆する。

「八紘一宇」とは、『日本書紀』に記された神武天皇の「橿原宮《かしはらのみや》」で即位した際の「橿原建都の詔《みことのり》」にある「八紘《あめのした》を掩《おお》いて宇《いえ》と為《せ》むこと、亦可《またよ》からずや」からきた言葉で、意味は「世界のすみずみまでも、ひとつの家族のように仲良く暮らしていける国にしていこう」の建国理念である。

意味は、「天皇陛下というのは、国民を大《おお》御宝《みたから》と呼んで慈《いつく》しみ、自分より他人を思いやる利他の精神と、絆《きずな》を大切にする心をもつこと」とある。

それには世界を白豪主義的な白人主導で支配してはならずと、「第一次世界大戦」後の「パリ講和会議」の「国際連盟委員会」で、戦勝国だった日本が国際連盟規約に〝人種差別撤廃〟を明記すべしと提案したが、人種差別撤廃は日本が世界で最初の提案国だった。

勿論、欧米列強は全て有色人種差別が常識なので否決されたが、後の多民族統一欧州「EU／欧州連合」の基本理念「パン・ヨーロッパ思想」に大きな影響を与えた。

当時の欧米列強の「植民地主義」の中で、日本だけは「日韓併合」で朝鮮民族を大和民族と同等に扱い、日本への行き来も自由にし、日本名も拒否できる日本型併合と欧米型植民地との違いを諸外国に示した。

そんな中での「国際連盟脱退」だったわけで、全ての国が日本との国交を断絶したわけではなかったが、「東京裁判」で欧米列強から日本が「平和への罪」というアメリカによる後出しジャンケンで悪者にされ、「ＧＨＱ」が戦後教育で徹底的に〝日本悪者論〟として教え込んでいった。

その一方、「汎ヨーロッパ主義」と言われる欧州統合運動の先駆けが、日本で育ち日本人の青山ミツを母に持つリヒャルト・ニコラウス・栄次郎・クーデンホーフ＝カレルギーによる「八紘一宇思想」で、今では「ＥＵの父」の一人と言われている。

「太平洋戦争」（１９４１〜45年）で日本は最後まで一国で闘い、アメリカの「原子爆弾」で敗戦となるが、その後、日本を見たアジアやアフリカ諸国が欧米諸国に物言うようになり次々と独立、一部を残して白人支配の植民地時代が消滅した。

戦前の日本は、天皇を担いで世界統一を目指す〝軍の暴走〟を止めることができなかった事実もある。

海軍の青年将校らによる「五・一五事件」（１９３２年）が起き、軍縮の犬養《いぬかい》毅《つよし》首相を暗殺し、「二・二六事件」（１９３６年）では陸軍の青年将校らが軍縮の元首相・大蔵大臣の高橋是《たかはしこれ》清《きよ》らを暗殺した。

実は大和民族による「八紘一宇」「五大洲統一」は「神道」の霊性と「徴《しるし》」で行うべきもので、武力による統一はヤフェトなど白人種にだけ〝土地を広げる（植民地主義）〟が許され、セム中のセムの大和民族には〝天幕（宗教・神殿・三種の神器）〟以外は許されておらず、ハムの子カナンは黒人の祖となり米英がこぞって奴隷にした。

「神がヤフェトの土地を広げ（ヤフェト）セムの天幕に住まわせ　カナンはその奴隷となれ。」（『旧約聖書』「創世記」第9章27節）

明治以降の軍は天皇陛下でさえ押さえることができなくなり、重要な理念を忘れた結果、惨めな敗北には終わるが、その裏で清王朝崩壊から毛沢東の共産党中国が建国、ロマノフ王朝崩壊から旧ソ連が建国、植民地主義廃止の動きを日本が創り出した。

世界最大の覇権国家アメリカが最も恐れる民族が白人支配を追い詰める切っ掛けを創る大和民族で、一刻も早く天皇徳仁陛下と大和民族を「毒入り饅頭（ｍＲＮＡワクチン）」で絶滅させ、徴《しるし》である「三種の神器（マナの壺：八尺瓊勾玉）・（十戒石板：八咫鏡）・（アロンの杖：草薙之剣）」と「本神輿（御船：契約の聖櫃アーク）」を略奪しないと、いつまでも火口の上で寝る不安を払拭《ふっしょく》できないでいる。

須佐之男命は霊神「ヤハウェ」

明治維新後、徳川幕府に代わって薩長《さっちょう》を中心とした明治新政府が成立、天皇を中心とする宗教的中央集権国家が支配する時代、朝敵だった「平将門《たいらのまさかど》」に対する風当たりは強く、将門の躰《からだ》を意味する「神田明神（躰明神）」（千代田区外神田）の祭神から江戸の守り神の将門外しが行われた。

永久に男系の皇統がつづく「万世一系《ばんせいいっけい》」は、「八紘一宇《はっこういちう》」同様「国家神道」の要《かなめ》のため、「明治天皇の行幸があるとはいえ、江戸っ子の守り神を薩長の芋どもに外されるのは許せねえ!!」とはならず、さしもの江戸っ子も長い物には巻かれろの同調圧力に屈した。

代わりにやって来た神が「恵比寿《えびす》・少彦名命《スクナヒコナノミコト》」で、それまで将門と共に祀られてきた「大黒・大己貴命《オオナムチノミコト》」の二神体制が敗戦まで続く。

ところが、これも実は深い意味があったかもしれず、まずは「大黒」だが「大国主命《オオクニヌシノミコト》」の別名で、だから因幡《いなば》の白兎《しろうさぎ》を助ける童謡の歌詞にこんな所がある。

「大きな袋を　肩にかけ　大黒さまが　来かかると　ここに因幡の　白兎　皮をむかれて　赤《あか》裸《はだか》♪……（中略）……大黒さまは　誰だろう　大国主命とて　国を拓《ひら》きて　世の人を　助けなされた　神様よ♬」

今の評論家は「大黒天＝大国主命」を「ダイコク」の駄洒落《だじゃれ》とするが、尋常小学校の唱歌とはいえ「国家神道」から外れた歌を児童に歌わせないのが常識で、だからこそ「出雲大社」（島根県出雲市）の境内に「兎」の像が並んでいる。

更に言えば、出雲《いずも》は八岐大蛇《ヤマタノオロチ》を退治した「須佐之男命《スサノオノミコト》」の「八雲たつ……云々」と関わる「出雲神話」の一つで、高天原《たかまがはら》を追放された須佐之男命は、出雲の国（現・島根県）の斐伊川《ひいがわ》上流の鳥髪（現・船通山）までやってきて、八岐大蛇の生贄《いけにえ》にされる奇稲田姫《クシイナダヒメ》と出会っている。

そのことから「大黒天＝大国主命＝須佐之男命」となる仕掛けが「神田明神」に隠され、大黒天が手に持つ小槌《こづち》は天皇家「セム・メイソン」の幕屋の儀式で叩く小槌で、袋に包む意味の「ム」の解字「私有＝私は有る」から『旧約聖書』の神ヤハウェ（私は有る）を象徴する。

一方の「恵比寿」だが、漫画家の蛭子能収《えびすよしかず》にあるように「蛭子」とも書き、記紀神話では〝ヒルコ〟として登場する。

蛭子は男神の伊邪那岐命《イザナギノミコト》と、女神の伊邪那美命《イザナミノミコト》がオノゴロ島（隠岐）で最初に産んだ子で、不具の子だったので海に流したとされる。

興味深いのは〝元伊勢（本伊勢）〟を掲げる丹後国一宮「籠《この》神社」（京都府宮津市）に「元恵比寿神社」が合祀《ごうし》され、特に関西では商売繁盛の神として「えべっさん」の愛称で慕われ、縁起のいい「鯛《たい》」を釣った姿で描かれている。

昔から日本では大嵐などで遭難し、海岸に漂着した難破船を〝エビス〟と呼んだのは、船内に価値がある品を乗せているため、皆が金持ちになったからで、示唆は一度海に流された蛭子が大きくなって恵比寿として戻って来たことをいう。

海から戻ったので釣り竿と縁起のいい鯛を持ち、このことから恵比寿の正体が、神の子なのに不完全な躰（死すべき体）で生まれ、隠れて（亡くなって）から戻って来た（復活した）神が恵比寿となり、岩戸から舞い戻った天照大神（物部《もののべ》氏の男神：天照国照彦天火明櫛玉饒速《アマテルクニテルヒコアマノホノアカリクシタマニギハヤ》日尊《ヒノミコト》）となる。

さらに大黒様は「俵」に乗っており、それが稲の一字を持つ須佐之男命の妻「奇稲田姫」で、一方の恵比寿は海から舞い戻った海岸の「岩」に座り、海《あま》＝天《あま》の岩戸の天照大神（天照国照彦）となる。

これを「聖書学」で読めば一目瞭然《いちもくりょうぜん》で、「わたしも言っておく。あなたはペトロ。わたしはこの岩の上にわたしの教会を建てる。陰府《よみ》の力もこれに対抗できない。」（『新約聖書』「マタイによる福音書」第16章18節）

荒ぶる神（荒魂《あらたま》）の須佐之男命は霊神「ヤハウェ」で、平和の神（和魂《にぎたま》）の天照大神は霊神が女性の胎《はら》を介して死すべき不完全な「現人神《あらひとがみ》」となり、磔刑《たっけい》後の復活で不死不滅の神イエス・キリストとなる。

この両神の間で「平将門」が祀られる意味は大きく、南朝秦氏系の桓《かん》武《む》天皇の子孫が父で、母方は下総《しもうさ》国相馬（茨城県取手市寺田周辺）の物部系が強い武蔵一族と関わりがあり、これにて秦氏（新約系）と物部氏（旧約系）の間に生まれた平将門は、「神田明神」で「大己貴命・少彦名命・平将門命」で祀られるのは意味があった。

大黒様は国譲りした物部系の一神教（ユダヤ教）の旧約神ヤハウェなら、恵比寿様は魚の大漁を指し示す神イエス・キリストとなる。

「イエスは言われた。『舟の右側に網を打ちなさい。そうすればとれるはずだ。』そこで、網を打ってみると、魚があまり多くて、もはや網を引き上げることができなかった。」（『新約聖書』「ヨハネによる福音書」第21章6節）

初期のキリスト教徒がイエス・キリスト（または原始キリスト教徒）の隠れシンボルとして用いたのが魚「イクトゥス／ichthys」だった。

その平将門の「首塚」（東京都千代田区大手町）を、緑の狸の小池百合子と東京都が更地にした上、それまで皇室を4壇半の碑で守ってきた「護符」を、三行半（三壇半）の「呪符《じゅふ》」に替え、周囲もセメントで〝韓流〟に入れ替えたのは皇祖神への反逆である。

今、韓国は世界中の「日本大使館」「領事館」の正面に嘘で塗り固めた「慰安婦像」で呪詛《のろ》っているが、それと同じ真似を、舛添（元）知事と同じ在日の緑の狸が、皇居前でやった以上、緑の狸を選んだ都民も天皇徳仁陛下を呪詛する（暗殺に協力する）輩《やから》として、皇祖神から一掃される可能性がある。

令和は浄化が進む時代となる

1910年（明治43年）8月22日、「韓国併合条約」が現在のソウル「漢城」で寺内正毅《てらうちまさたけ》第

3代韓国統監と李完用首相によって正式調印され、同月29日に日本は韓国を併合し、以後、「日韓併合」により朝鮮民族は日本人と同格とされ、日本名に変えることも韓国名で通すことも任された。

当時の朝鮮半島はあまりにも貧しく、李氏朝鮮の悪政によるアジア最大の極貧国で、第31代アメリカ大統領ハーバート・フーバーや、イギリス人女性旅行家のイザベラ・ルーシー・バードの記録にも、不衛生極まりない川に汚物が絶えず流れ、糞尿は狭い道の両端に穴を掘って足していたとある。

その頃の日本の出先機関「朝鮮総督府」は、韓半島全域の狭い道路を整地し、橋を架け、線路を敷き、列車を走らせ、田畑の開墾を教え、特に疫病を防ぐため衛生面を強く指導した。

当時の韓国人の家は壁さえない掘っ建て小屋ばかりで、外で糞尿を垂れ流す習慣を改めさせるには狭くても室内に汲み取り式の「便所」を作らせるしかなく、彼らはそれを死ぬほど嫌がったとある。

当時、李氏朝鮮の下で甘い汁を吸っていた特権階級「両班《ヤンバン》」は、身分の低い一般人「中人《チュンイン》」、人権のない小作農の「常民《サンミン》」、さらに低い身分の「賤民《センミン》」、下層の女「妓生《キーセン》」、最下層の「白丁《ペクチョン》」、さらに家畜と同じ扱いの「奴婢《ヌヒ》」等の上に君臨していた。

この朝鮮半島の救いがたい「身分制度」を廃止した日本に対し、「両班」の末裔たちは今も深い「千年恨《ハン》」を抱きつづけ、「太平洋戦争」終結後、アメリカのダグラス・マッカーサーとアメリカ帰りの李承晩《リショウバン》初代大統領は手を組み、韓国と日本国内の在日朝鮮民族で日本を極東の極悪国家とする「WGIP／War Guilt Information Program（戦争罪悪感プログラム）」を開始する。

韓国を「青瓦台」で支配する「両班」の大統領が次々とアメリカ製の「WGIP」による反日政策を掲げ、「李氏朝鮮の時代は天国だったが、悪《あ》しき日帝が全てを破壊した!!」と国民を徹底教育し、今も「反日教育」がCIA主導で続けられている。

戦後、「GHQ」を受け継いだ東京の「アメリカ大使館（極東CIA本部）」は、自民党を介して「在日特権」「在日就職枠」「特別永住権」を徹底させ、NHKを含む民間TV局に次々と在日を無試験で送り込んで支配、四大新聞社も「朝日新聞」を筆頭に支配、唯一「読売新聞」だけは正力松太郎が「日米原子力協定」等でCIAに全面協力し、その正力を引き継いだナベツネがCIAとの太いパイプを継承しているが、この男が逝けば在日が圧倒的に占める重役陣が「読売新聞」を完全支配することになる。

「アメリカ大使館（極東CIA本部）」の指導で90パーセントのマスゴミを在日が支配する中、マスゴミは戦前・戦中の日本帝国を「欧米列強が人道的見地から植民地体制を改め始めようとしていた頃、後発組だった日本帝国が古い植民地主義に走り、まず韓国を武力で植民地化し、中国も植民地にした後、アジア全土を武力で植民地にしようとした!!」と日本国内で徹底教育した。

一方、飴《あめ》と鞭《むち》の「飴」となる芸能界も歌謡界もスポーツ界も「在日特権」「在日就職枠」「特別永住権」が徹底され、その最初の成功例が、在日だった相撲界の力道山のアメリカ修行によるプロレスだった!!

当初は柔道の天才で「木村の前に木村なく、木村の後に木村なし」の木村政彦とタッグを組んでいたが、アメリカのレスラーの噛《か》ませ犬の役ばかりをさせられた木村は、我慢できずに力道山との真剣試合を申し入れるが、プロレスの常道で最初からドローが決まっていた。

が、突然、力道山が木村の金蹴りを主張したかと思うと、試合再開の合図の前に力道山が木村に襲い掛かる〝騙《だま》し討ち〟で勝利、木村は妻の不治の病を治すアメリカ製の高価な「ストレプトマイシン」を手に入れるため、力道山が差し出した手打ち金を受け取りプロレス界から去っている。

それ以後、ＴＶの普及と共に力道山人気が日本で大爆発し、アメリカから次々と押し寄せる強豪レスラー相手に、伝家の宝刀「空手チョップ」が炸裂《さくれつ》、憎きアメリカ人を倒すショーは、本当の試合と信じていた日本人の留飲を下げさせた。

勿論、リング上で大男たちが鍛え上げた体で本気で衝突すれば死人が出ることになるため、ショーマンシップで客が満足するよう互いに裏で協力し合うのは仕方がないが、問題は「アメリカ大使館（極東ＣＩＡ本部）」が、力道山の日本での大成功を在日による日本人掌握術最大の功績とした点だ!!

以後、「アメリカ大使館（極東CIA本部）」は徹底的に力道山を支援し、在日が日本人の英雄となって崇拝される道を前例とし、歌謡界、芸能界に応用していくことになる。

戦後の「昭和」では在日に外堀が埋められ、「平成」では内堀が埋められ、「令和」になると皇室を在日と入れ替える段階に突入、「アメリカ大使館（極東CIA本部）」はそれを日本人に全く気付かれず秘密裏にやってのけていた。

が、「令和」は極まった汚物が排斥される時代で、李氏朝鮮の安倍晋三の日本国王宣言は自己崩壊し、「アメリカ大使館（極東CIA本部）」が送り込んだ李氏の赤ん坊の秋篠宮は、現・上皇陛下の「生前退位（生前譲位）」で排斥され、長女と結婚させようとした相手の小室（金）圭は、今や在日と暴露され、母親の借金が絡む暴力団関係を隠すため、アメリカがフォーダム大学」で庇護《ひご》したが、安倍（李）晋三の暗殺で相当ヤバイ状況に追い込まれている。

そこで「アメリカ大使館（極東CIA本部）」は、傀儡《かいらい》の自民党に命じ、ビル・ゲイツ製の母型（鋳型）で創られた「ファイザー・ワクチン」を接種させた。

地球内部にも人類がいる！

超能力捜査官ジョゼフ・マクモニーグル（Joseph McMoneagle）は、「陸軍諜報局《ちょうほう》」に勤めていた情報官で、「スタンフォード研究所」に配属され、米軍のために〝遠隔透視（リモートヴューイング)〟のプログラムに従事したとされる。

筆者も何度か東京でマクモと直に会っており、そのとき彼は地球内部に人類がいることを常識だと明確に答え、そこに飛び回る飛翔体《ひしょうたい》「三点交差UFO」の形も描いてみせた。

これは「CIA」と「NSA」を股《また》に掛けたエドワード・スノーデン(Edward Snowden)が地球内部のマントル層に高度な文明を持つ人類がいるとロシアから暴露する10年以上も前の話だ。

もちろん、「伊勢神宮」の地下宮も透視しており、巨大な金属の箱があり、そこに何かの御神体が隠されているようだと答えていたが、実はマクモニーグルの情報はどこまでがサイキックか、軍の情報を喋《しゃべ》っているのか、あるいは両方混じっているのか分からない部分もあり、実際、当時のスペースシャトルは「SAR/Synthetic aperture radar(合成開口レーダー)」で日本の地下探査を極秘に行っており、「伊勢神宮」も例外ではなかったはずなのだ。

「合成開口レーダー」はマイクロ波やミリ波の電磁波を地上に照射し、地中の構造物まで暴き出すことができ、当然、「伊勢神宮」の地下宮も覗《のぞ》くことができたはずである。

終戦直後、「GHQ/連合国軍最高司令官総司令部」が最初にやったことの一つは、「伊豆諸島」と「石川県羽咋《はくい》郡宝達志水《ほうだつしみず》町《ちょう》河原(三つ子山古墳)」を日本領から一時的に外し、徹底調査していたことだ。

たとえば伊豆諸島の一つ「利島《としま》」は島全体が四角錐《しかくすい》のピラミッド型をした島で、テニアン島を離陸した「B－29爆撃機」が東京を空襲するとき、このピラミッド型の島を目安に針路を東京に向けていた。

その島を自然物と思わなかった「GHQ」は、戦後、米軍を「利島」に派遣して島のあちこちをボーリング調査させている。

一方、石川県羽咋の「三つ子山」を封鎖したのは、そこに「モーセの墓」がある伝説があったからで、米軍が古墳を暴きに入ったことが分かっている。

その後すぐに占領軍は四国の「剣山《つるぎさん》」に入り、頂上で長い間滞在していたことを地元の古老たちが証言している。

つまり、当時のアメリカ軍が所有していた原爆17発の全てを日本各地に落とし、日本人全員を〝熱核反応〟で地上から消去しようとしたが、敗戦間際の日本で一体何をそんなに恐れていたかである。

それについて、当時のトルーマン大統領は「日本上陸を原爆投下なしで決行した場合、相当の抵抗が予想でき、アメリカ軍の被害は尋常ではなかっただろう」と述べている。

が、それは「GHQ」の異常な捜索から、当時のアメリカは三種の神器の入った「契約の聖《せい》櫃《ひつ》アーク」への恐怖心が尋常ではなく、そのまま上陸できなかったのではないかと思われてくる。

今では「伊勢神宮」の内宮《ないくう》の地下に「契約の聖櫃アーク」が隠されていることを知っており、

「アメリカ大使館（極東ＣＩＡ本部）」は、２０２１年3月16日、「イスラエル考古学庁」が新たな「死海文書」が発見されたと発表したことから、２０２２年度中に「第三神殿」を建設せねばならないため、天皇家から力ずくでも頂戴《ちょうだい》せねばならなくなった。

前の「死海文書」の発見が１９４７年のクムランの丘であり、その１年後の１９４８年に「イスラエル建国」の奇跡が起きたように、今度も「死海文書」発見の１年後に「第三神殿」がエルサレムに建つ奇跡が起きねばならない。

だから「イルミナティ（ロスチャイルド・ロックフェラー）」は日本をターゲットに、世界中でコロナパニックを引き起こし、猛毒のワクチンを天皇に接種して亡き者にする必要に迫られ、そのためアルコール依存症の秋篠宮より小室（金）圭を皇室に入れ、天皇徳仁陛下をボーイング機に乗せて墜落させれば、「徴《しるし》」の持ち主が在日天皇に渡り、三段論法でアメリカの手に渡る算段だった。

特にアメリカの白人系ユダヤ「アシュケナジー系ユダヤ人」は、本物の血統的ユダヤ人「ヤ・ゥマト（大和民族）」の存在が目の上の瘤《こぶ》で、一刻も早く地上から消し去りたいと思っている。

だからこそ何が何でも在日の支配する自民党と創価学会公明党を使い、全ての日本人に猛毒の遺伝子操作ゲノム溶液をマスゴミの「オオカミ少年効果」と日本人が最も弱い「同調圧力」でやってのけるのである。

「CIA」にすれば、終戦間際に日本人を原爆で焼き殺して絶滅できたことを、今やるだけのことに過ぎず、在日の小室（金）圭を臨時天皇にした後、小室天皇の権限で「伊勢神宮」を開けさせ合法的に「三種の神器」と「契約の聖櫃アーク」を奪うだけとなる。

第3章

獣の刻印「666」がワクチンに⁉

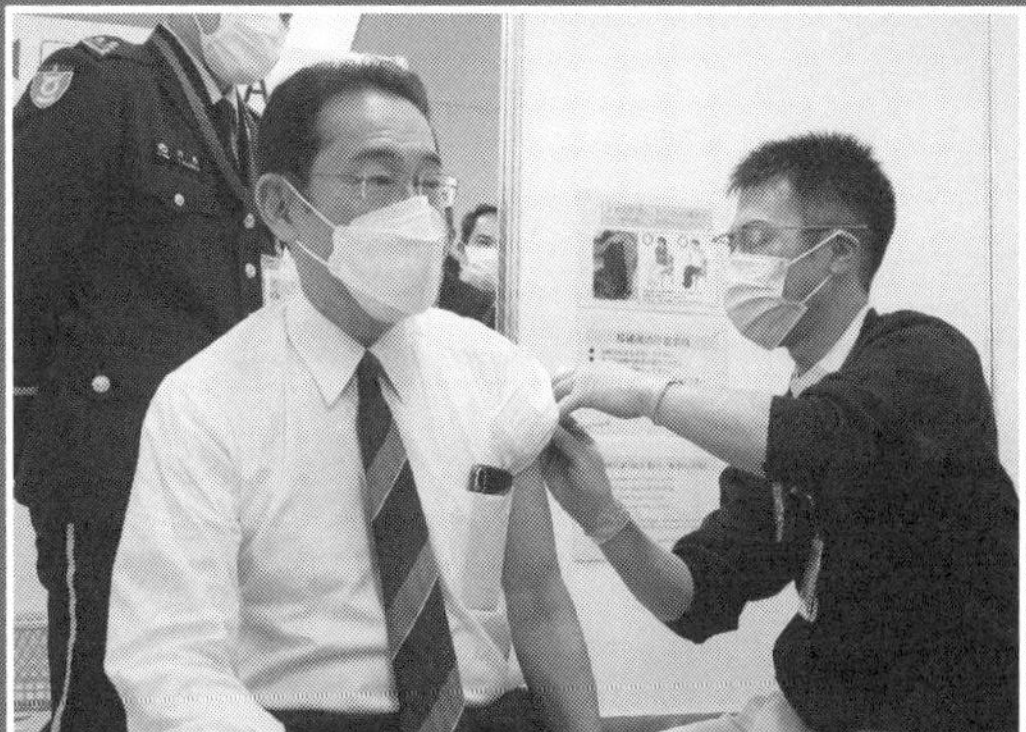

3回目の接種を受ける岸田文雄

「666」の獣は誰のことか？

何度も言うが、『旧約聖書』『新約聖書』はヤハウェの民「ヘブライ語：ヤ・ウマト（大和民族）」に託された書で、契約の民は太陽神イエス・キリストの極東国家「日出国《ひいずるくに》」にイスラエルが移動した。

だから地上の神殿「伊勢神宮」に天に属する「三種の神器」と「契約の聖櫃《せいひつ》アーク」が置かれ、千年以上も天皇一族（レビ族）が管理してきた。

後醍醐《ごだいご》天皇の南朝系が足利尊氏《あしかがたかうじ》の謀略で衰退しても、その子孫が毛利の下で生き延び、幕末動乱に北朝系と入れ替わったことで、「皇居」に南朝の守り神「楠木正成《くすのきまさしげ》」の像が置かれ「南朝正統論」が公布された。

さらに言うなら、秦《しん》の「始《し》皇帝」は司馬遷《しばせん》が『史記』に記したように漢民族ではなく、中東を行き来した中央アジアの豪商の「呂不韋《りょふい》」の子とするのは正しく、リョフイはレビ族という意味で、日本語の音読みがヘブライ語と一致する。

その「始皇帝」を「嬴政《えいせい》」と言うのは、東海に浮かぶ「瀛《えい》」が〝日本（瀛州）〟の意味で、「永遠の命＝命の木」を同じ姓の嬴の導師「徐福《じょふく》」が「箱」と「アロンの杖」「マナの壺」を日本に運び込んだのは、「始皇帝」がモーセの直系で「徐福」が兄のアロンの直系だからだ。

アロンの弟のモーセの直系はガド族の神武《じんむ》天皇と一緒に来た「竹内宿禰《たけうちのすくね》」で、宿禰は「宿＝宿営＝幕屋」「禰＝璽（御神体）」でレビ族を示す。

神武天皇と竹内宿禰の祖は月読国《つくよみこく》から「十戒石板」と「蓋《ふた》」を韓《かん》半島に運び込み、馬韓《ばかん》から秦人の国を東に建設、ローマ帝国と闘った「ユダヤ戦争」から脱出した原始キリスト教徒を待った。

その頃の「邪馬台国《やまたいこく》」は南（現在は東）の蝦夷《えみし》の「狗奴国《くなこく》」の卑弥弓呼《ひみここ》の末裔《まつえい》から侵略を受けており、韓半島に向けアロンの子孫「倭 宿禰《やまとのすくね》」が急を知らせた。ようやくイスラエル12支族が全て揃った神武軍は、韓半島から九州へ上陸その勢いで瀬戸内海から大和へ進軍し蝦夷を追放、卑弥呼とつながる台与《とよ》の娘の女帝「饒速日《ニギハヤヒ》」と「神武天皇」が箱合わせで同族の手打ちを行い〝国譲り〟が成った。

ガド族の王だった神武天皇は神器と櫃《ひつぎ》の執着から「同床共殿」を強行した結果、ヤハウェの激しい怒りを買って直系が消滅、モーセの直系の「継体《けいたい》天皇（竹内宿禰）」が皇位を継承し、アロン直系の「倭宿禰」が〝八《や》咫烏《たがらす》〟となって裏から国体を支えた。

「籠《この》神社」（京都府丹後）の第52代（故）海部光彦名誉宮司の「多次元同時存在の法則」から、「神」の一字を持つ天皇は男女であれ同一人物から「神武＝崇神《すじん》＝神功《じんぐう》＝応神《おうじん》」が判明、さらに神話時代に片足を残す神武の「武」から「武烈《ぶれつ》」も同一となれば、武烈と継体の間の血統断絶の謎も解き明かすことができる。

かくして世界が悪の支配で満ちるまで、たとえ偽物の北朝系が幕末まで成っても、裏で八咫烏が神事を行い「セム・メイソン」を維持してきた。

かくして、「ハム・メイソン」のロスチャイルドとロックフェラーと悪魔が支配する「新世界秩序」が、ビル・ゲイツが創り武漢で撒《ま》かれた新型コロナウイルスで決行され、「イルミナティ」による世界人口を5億まで削減する〝大量殺戮《さつりく》〟が始まった。

その後、ロシアと中国が壊滅する「第三次世界大戦」が勃発《ぼっぱつ》し、ロスチャイルドから「カナン人」の末裔でラムセスII世の血を引く黒人バラク・オバマが「世界支配者」として登場、ロックフェラーと血縁のローマ教皇フランシスコが「偽預言者」として「バアル教」を支持し「木曜聖日」を定めるが、もう一つの「666」のルシフェルは悪魔であってヒトではない!!

それについて大和民族の「世羽《ヨハネ》」は、『ヨハネの黙示録』で興味深い例えを用いている。

「わたしはまた、竜の口から、獣の口から、そして、偽預言者の口から、蛙《かえる》のような汚れた三つの霊が出て来るのを見た。」(『新約聖書』「ヨハネの黙示録」16章13節)

これは「第三次世界大戦」が終わり、世界が統一された近未来の預言で、「竜=サタン」「獣=バラク・オバマ」「偽預言者=フランシスコ教皇」で、重要な解き明かしは〝三つの霊〟の箇所で、ルシフェルはヒトのような肉体は与えられない霊体のままということが見えてくる。

ところが「666」はこれで終わりではなく、「第三次世界大戦」の前にも実は現れてくる。

「そこで、この刻印のある者でなければ、物を買うことも、売ることもできないようになった。

この刻印とはあの獣の名、あるいはその名の数字である。ここに知恵が必要である。賢い人は、獣の数字にどのような意味があるかを考えるがよい。数字は人間を指している。そして、数字は六百六十六である。」（『新約聖書』「ヨハネの黙示録」第13章17～18節）

この箇所で「666」について最重要な記述が〝人間を指している〟点で、霊だけで見た「666：バラク・オバマ、フランシスコ、ルシフェル」ではない別の「666」を示唆している。

それが某キリスト教会の〝TOP3人〟となると、大和民族の預言者がそれを預言書に記している以上、その教会は「ビル・ゲイツ」を支持し、悲惨な結末で内外共に信用を失くし〝改宗者ゼロ〟に陥ることになる。

当然、その3人の正体は八咫烏も天皇徳仁陛下も承知で、令和の「大嘗祭《だいじょうさい》」で陛下の前に現れた天照大神（イエス・キリスト）からも伝授され、それへの対抗策〝モーセの死に上手〟も教えられたことになる!!

バチカンがワクチン支持した意図

「666」についてさらに考察すると、ヒトの場合は元が3人の聖人の「777」が最強の数「9」のアメリカ政府と一体化して「999」となり、悪と化して引っ繰り返り「666」になったと推測できる。

引っ繰り返って化けるのは「狸」で、狸は「葉」を頭に乗せ引っ繰り返るが、「狐」は化けても「葉」を頭に乗せない（最近の絵本やアニメは混同している）し引っ繰り返らない。

昔話で「狸」は『ぶんぶく茶釜』『カチカチ山』で酷《ひど》い目に遭うが、それは必ず最後に「尻尾」を出してしまうからである。

一方の「狐」は本来は「神の使い」か「神自身（象徴）」で、「伏見稲荷大社」（京都市伏見区）どころか全国最大数を誇るのが「稲荷神社」で、主祭神は2970社余り、境内社&合祀《ごうし》など分祀社は3万2000社余り、屋敷神、祠《ほこら》、企業社等を加えると稲荷を祀《まつ》る社《やしろ》は無限大になる。

つまり日本の別名は「稲荷大国」で、そもそも「INRI」は救世主イエス・キリストの磔《たっ》刑《けい》の十字架上に打ち込まれた罪状書きにあるラテン語「IESVS NAZARENVS REX IVDAEORVM」の頭文字で「ユダヤ人の王、ナザレのイエス」の意味だ。

つまり日本はレビ族の王が「神器」を管理する「イエス・キリスト大国」なのである。

「666」に話を戻すと、ユダヤの数秘術「ゲマトリア」で「9」は数字の中の最大数で「完成」を意味するだけに、その地位の者が引っ繰り返ったら「6」に化けて大変な事態になる。

が、天皇陛下は「祭《まつりごと》」の聖数「7」で表され、徳川将軍職は「政《まつりごと》」の支配者「9」で表されることになる。

引っ繰り返った組織が仮に某キリスト教会で、「ｍＲＮＡワクチン」を早々に承認し、アメリカ政府（正確にはバイデン政権）支持を表明した結果、「ショック死」「免疫不全」「狂牛病（ヤコブ病）」「ナノ炭素粒子」「人工生物」他で、信者がバタバタ死に始めた段階で内部分裂を起こし、世界からも全く信用されなくなる。

それは以下の発言をしたバチカンのフランシスコ教皇（後の偽預言者）と足並みを揃えたことを意味する。

２０２１年1月10日

「倫理的に誰もがワクチン接種を受けるべきだと私は確信する。選択の余地はない。これは倫理的選択だ。なぜなら自身の健康と生命がかかるだけでなく、他者の生命もかかるからだ!!」

２０２１年9月15日

「人類とワクチンには友情の歴史があるのに（拒絶するのは）少し奇妙だ!!」

結果、数億人規模で幼児を含む接種者の死が大激増すると、ワクチンの支持表明した教皇はバチカンを捨ててエルサレムに逃亡することになるのだろうが、ビル・ゲイツを支持した他の宗派の指導者も只《ただ》では済まないだろう。

今回、世界規模の医療関係者ほどビル・ゲイツに騙されたのは、彼らの殆どが「外科医」「内科医」「歯科医」「精神科医」等であり、細菌・ウイルスの「感染学」の専門家ではなく、下手にいろいろな医学知識があるため、逆に騙される点が重要で、命を救うはずの医師が逆に命を奪う殺人者になることを意味する。

これは、「狸」が引っ繰り返ったと同じで、日本で狸の最期は「茶釜《ちゃがま》ごと囲炉裏で焙《あぶ》られる」「薪が燃やされる」「熱湯に突き落とされる」と必ず狸は「火」で命を失う。

それでもフランシスコ教皇の権威が「第三神殿」で落ちないのは、非接種者への責任転嫁がうまく、悪者にされなかったことを意味する。

一方、極東イスラエルを預かる天皇陛下は、モーセと同じ「大預言者」として世界中に「詔《みことのり》」を発布、「原始キリスト教会」を「神道」に併合し監督職最大の長《おさ》となる!!

「淡竹《はちく》」が枯れて「令和」が始まった

2019年5月1日、〝120年に一度しか咲かない〟とされる「竹の花」が一斉に咲き始め、その最初の兆候は兵庫神戸市内で観測され、噂を聞き付けた関西の「FNN（フジニュースネットワーク）ビデオPost」が、5月18日に珍しい映像としてインターネットに流した。

それ以降、広島県、香川県、京都府、神奈川県と開花が続々と起こり、2021年末には九州から東北までの1000キロに渡って竹の花が咲いていていった。

日本中の竹が一斉に開花しており、120年に一度しか咲かない「竹の花」を見ることは、人によれば一生に一度も見られない稀有《けう》な現象で、人の寿命が120歳を限界とすれば「竹の寿命＝ヒトの寿命」と言えなくもない。

「竹の花」は稲穂のような雄蕊《おしべ》が3本スルスルと伸び、風に吹かれる度に揺れて花の根元の雌蕊《めしべ》に受粉することで種ができる。

興味深いのは一度花が咲いた後、地上に出ている竹の長い茎が全て枯れ、山によっては竹林の全てが真っ白に見え、まるで白骨化した林にしか見えない。

日本の竹は「真竹《まだけ》」「淡竹」「孟宗竹《もうそうちく》」だが、どれも120年ほどで花を咲かせた後、寿命が尽きて新世代と入れ替わる。

が、たとえば「真竹」が一斉に枯れたのは1960年代で、今、一斉に枯れているのは「淡竹」である。

竹は自分の地下茎《ちかけい》を伸ばし、その節から出る筍《たけのこ》が竹となって成長し増えていくため、さらに種を結んで新たに増える仕組みは他の植物とは違っているように見えるが、実は筍は親竹の完全なクローンで、受粉で生まれた種から出る竹は基本的に遠くの竹とのミックスとされる。

竹は「無性生殖」の「イネ科」で、竹に咲く花は稲穂のように花びらがなく、竹の種はコメと似た味がすることから、竹と稲は天孫降臨した邇邇芸命《ニニギノミコト》に高天原の稲穂を与えた天照大神と無縁ではなくなる。

実際、竹の名を持つ『竹取物語』のかぐや姫は天照大神の別名とされ、事実、大和の地の「天香具山《あめのかぐやま》」に天照大神の「天岩戸神社《あまのいわと》」が鎮座する。

ミステリアスなのは、竹の開花は日本人にとって〝不吉〟の前兆とされることで、「淡竹」の一斉枯れは120年前の明治末から大正期に起き、その後、未曽有《みぞう》の死者を出した「関東大震災」が起き、2023年が「関東大震災百周年」になる‼

これを偶然、あるいは迷信と取るか、何らかの危険に直面する前に花を咲かせると取るかは考え方次第である。

さらに恐ろしいことだが、「淡竹」が最初に枯れ始めた2019年5月1日は、人類最後の年号の「令和」が始まった日である‼

その意味で言えば「淡竹」は〝令和竹〟ともいえ、「淡」の意味は「一切の情けを掛けない」「容赦なく選別する」で「令和」の意味と符合する。

「和」は天皇家では「咊」と書き、「令咊」を分解すると「令・口・ノ・木」で「令＋口＝命」となると「命ノ木」となり、「禁断の木（死の木）」に騙《だま》されて多くの者が死に果てる年号をも意味する‼

大和民族（ヤハウェの民のヘブライ語＝ヤ・ウマト）の歴史書『旧約聖書』『新約聖書』の〝黙示録の時代〟に突入する年号で、「666」による人類大虐殺が預言されている。

実際、淡竹の「淡」を漢字分解すると「淡＝水・炎」で〝火と水にヒトを分ける〟となる。

それを令和で決行するのは「火水《かみ》」となる皇祖神で、和魂《にぎたま》の「天照大神」の別名で荒魂《あらたま》の「須佐之男命《スサノオノミコト》」による徹底的な破壊と殺戮による選別となる‼

　須佐之男命は「海」「黄泉《よみ》」「疫病」を司る神で、海は「大地震による巨大津波」を表し、疫病は「コロナ禍」で接種されるゲノム溶液で、凄《すさ》まじい数の日本人が列島から消え「黄泉」に落ちる時代になる!!

　その意味から明確に分かることが一つある……「牛頭天王《ゴズテンノウ》」（須佐之男命の別名）の凄まじい〝疫病〟による大殺戮の「蘇民将来《そみんしょうらい》」で生き残るのは、少数派の蘇民で、亡びる古丹《こたん》は多数派だったことから、ビル・ゲイツ製ゲノム溶液を接種した日本人の７割以上が死滅する意味になる!!

　もちろん、天皇徳仁《なるひと》陛下は蘇民その者で、徴《しるし》の樹種の「梓《あずさ》」は、死に上手の蘇民の「蘇《よみがえ》り」その物を指している!!

ジョージア・ガイドストーンが示す人口削減プラン

　１９７９年6月、R.C.クリスチャンという人物がアメリカ東南部ジョージア州のアトランタから東へ１４０キロのエルバートン郡に不可解な花崗岩《かこうがん》のモニュメントを発注した。

　そこは田舎町エルバートンの小高い丘で、６メートル近い21トンの石壁5枚の上に1枚の石を乗せた総重量１１９トンの巨大な石碑で、地名から「ジョージア・ガイドストーン／Georgia Guidestones」と呼ばれた。

石碑は中心の石壁とキャップストーンにスリットと穴があり、北極星をいつも見ることができる穴の他、太陽、月、星の天体観測ができるように設計されている。ガイドというように4方向（北東、南東、南西、北西）へ突き出した石碑の北側から時計回りに、英語、スペイン語、アフリカ東海岸のスワヒリ語、インドのヒンディー語、ヘブライ語、アラビア語、中国語、ロシア語の8カ国語で刻まれ、今の「コロナ禍」を連想させる言葉が刻まれている。

①Maintain humanity under 500,000,000 in perpetual balance with nature.
「大自然と永遠に共存し、人類は5億人以下を維持する」は、ビル・ゲイツが望む世界人口5億と同じで、アメリカ南部のフリーメーソンの黒い教皇アルバート・パイク（イルミナティだった）が語った「三つの大きな戦争」で世界統一が達成できる書簡内容とも酷似する。

②Guide reproduction wisely—improving fitness and diversity.
「優性と多様性を賢く用いて、人口の再産を導く」は、ナチスと同じ優性遺伝子を持つ人間だけで世界を築き、生きていても意味のない無駄な人間を間引きすることを指している。

③Unite humanity with a living new language.
「生ける新たな言語で人々を統合する」は、「世界統一政府」による超独裁社会システムのことでヒトを管理統合することを示している。

④Rule passion—faith—tradition—and all things with tempered reason.

「情熱・信頼・伝統と全てを調律された理性によって支配する」は、調律者に従うことが絶対条件の理性で、絶対者の情熱と信頼による自由は意味がなく完全消滅する。

⑤Protect people and nations with fair laws and just courts.

「公正な法律および正しい法廷で人々と国家を保護する」は、自由のない過剰な法律で人々を縛り、中国が目指す究極の共産主義を超える独裁的中央集権体制を指している。

⑥Let all nations rule internally resolving external disputes in a world court.

「すべての国家は世界法廷において国家間の紛争を内面的に解決する」は、一見正論に聞こえるが、「世界法廷」が独裁者の所有物となるため、三権分立はあり得ない。

⑦Avoid petty laws and useless officials.

「取るに足らない法律および無駄な公務員を減らす」は、あくまで5億人の世界人口だから達成できることである。

⑧Balance personal rights with social duties.

「個性の調和は社会的な義務によって正す」は、個性を社会的義務により正す意味の調和なので、正す以上は個性の破壊を示唆する。

⑨Prize truth—beauty—love—seeking harmony with the infinite.

「真実・美・愛情・無限の神に基づく調和を求め続けることを称《たた》えよう」は、ヒトラーも美を追求して世界の美術品を略奪し、ここで言う無限の神もイルミナティ（ロスチャイルド&ロックフェラー）の神「バアル」を指し、その別名をルシフェル（サタン）という。
⑩ Be not a cancer on the earth—Leave room for nature—Leave room for nature.
「地球のがんにならず、自然のための場を残す」は、聞こえはいいが「新世界秩序／New World Order：NWO）」が選んだ者以外を地上から消し去り、地球に土地を返す意味から言えば、現在の世界人口約73億人のうち68億を地上に存在すべきではないと断言している。

不可解なのは経済大国世界第3位の日本語がないことで、イルミナティは日本人を全て地上から滅ぼし去ることを前提にしているのだろう。

現在、モニュメントは「アメリカのストーンヘンジ」と呼ばれ、管理はエルバート郡が行い、「ジョージアマウンテン旅行協会」の記載は「Mildred and Wayne Mullenix　農場」とし、製造した石材建築会社「Elberton Granite Finishing Company」になっている。

この石碑から西に数メートルの位置に、花崗岩の正方形の板が埋め込まれ、各辺が正確に四方を示し、各辺の中央にN、S、E、Wが入った小さな円が彫られ、石板に刻まれたテキストは北が上に彫られている。

その石板の下に「タイムカプセル」が埋められているとあり、石板の最上部に「THE GEORGIA GUIDESTONES CENTER CLUSTER ERECTED MARCH 22, 1980」（ジョージアガイドストーン　1980年3月22日　センタークラスター建立）とある。

そのすぐ下に石板中央上部の正方形の枠に「LET THESE BE GUIDESTONES TO AN AGE

OF REASON」（ここに理性の時代へのガイドストーンとする）とあり、正方形の枠の周囲に古代言語の名称が以下のように「BABYLONIAN CUNEIFORM/CLASSICAL GREEK/SANSKRIT/EGYPTIAN HIEROGLYPHICS」（バビロニア語楔形文字／古代ギリシア語／サンスクリット語／エジプト語ヒエログリフ）と彫られている。

ガイドストーンは陰謀論の関心の的だったが、在日で自民党の小泉（朴）進次郎衆院議員は、ガイドストーンを前に「悲観的な考えしか持てない人口1億2千万人の国より、将来を楽観し自信に満ちた人口6千万人の国の方が、成功事例を生み出せるのではないか」と語り、今の日本人の半減を望む声明を出しているが、横須賀の住民は彼を絶対的に支持している。

ジョージア・ガイドストーンはイルミナティ関係者が置いたものであることは間違いなく、人口5億では文明維持はできないという声もあるが、今や「AI（人工知能）」がヒトに代わって仕事、業務管理、精密作業を行う時代である以上、ヒトの未来は大きく二つに分かれてくる。

一つは「全ての仕事をロボットとAIに任せ、ヒトはその恩恵によって悠々自適の生活を送る未来」、それとは逆に「ロボットとAIさえあれば余分な人間は必要なく抹殺された未来」で、ロスチャイルドとロックフェラーは世界を支配する神として後者を選んだようだ。

彼らイルミナティ最大の誤りは、大和民族への攻撃は天皇陛下への攻撃であり、天皇陛下への攻撃は皇祖神である天照大神（イエス・キリスト）への攻撃になるということだ……。

ワクチンで「獣の刻印」を植え付けられる⁉

２０１９年末、中国の武漢でビル・ゲイツ製のゲノム母型（鋳型）を持つ「ＣＯＶＩＤ－19」が、東京の「アメリカ大使館（極東ＣＩＡ本部）」から送られた２人の在日系日本人により散布された後、翌２０２０年２月の「春節」で中国人の延べ30億人が移動を開始、４億４０００万人が鉄道を利用、海外に向かった中国人は延べ７００万人にのぼった。

これが「ビル＆メリンダ・ゲイツ財団」と「モンサント」が支援する世界最大の遺伝子組み換え技術企業「イノヴィオ・ファーマシューティカルズ社／Inovio Pharmaceuticals, Inc.」が仕掛けた「世界的パンデミック詐欺」の流れである!!

「ティッカーシンボル：ＩＮＯ」のケイト・ブロデリック研究＆開発担当副社長は、「中国が新型ウイルスのＤＮＡ塩基配列を公表してくれたことで、私たちはその情報を研究所のコンピュータ技術に取り込み、３時間以内にワクチンをデザインすることができた!!」と述べたが大嘘である。

既に武漢騒動のとき、アメリカでは「ｍＲＮＡ溶液」は完成しており、殆ど無害なコロナウイルスが世界中に蔓延《まんえん》した頃、「マサチューセッツ工科大学（ＭＩＴ）」の研究者チームは、災害発生時に多数の傷病者を重症度に応じる「トリアージ」をデジタル化した、コロナワクチン接種用「マーキング法」を既に完成させていた。

それは「mRNA溶液」の接種者を個別識別し、追跡できる最新マーキング法で、ビル・ゲイツが開発した「経皮パッチ技術」で皮下投与できる「量子ドット：ワクチン・パスポート」という。

これは特殊な「量子ドット」を含むパッチで、体内に皮下挿入できるために肉眼では見えないが、特殊なスキャン装置で簡単に読み取れるため、隠語で「タトゥー」という!!

この「経皮パッチ」は右手と額に付けられ、スーパーで買い物をする際、このタトゥーをスキャンして認証するだけでよく、2022年に世界中で導入された「ワクチン・パスポート／vaccine passport」は、このシステムの一部に該当する。

もう少し詳しく説明すると「量子ドット」に紫外線を照射すると、量子ドット内の電子が高エネルギーを持って励起、そのデータをスキャンする。

専門的には「量子ドットに関する細胞培養をベースにした識別法」といい、現時点では「完全なワクチン接種者」vs「非接種者」を区分けするシステムになるが、実際は生き残った5億～10億人規模の人間に応用するための〝人体実験〟が2022年から行われたことになる。

しかし、彼らが言う「完全なワクチン接種者」は必ず死ぬモルモットなので、現段階の「ワクチン・パスポート」での人体実験に使われるに過ぎない〝使い捨て〟である。

これが『聖書』に預言された「獣の刻印」の正体で、アメリカで既に特許取得済みの「経皮吸収型パッチ」は、簡単に人のラベル付けができ、「AI」に徹底管理させればどこでも適用できる単一の「データベース／data-base」ともなり、皮膚の下に隠されたデータバンクを統治側が簡単に取り出せる。

スタート時点では接種者がまだ生き残っているので「あなたの医療情報などを安全に保存することができ、万が一の場合はあなたの強い味方です!!」のキャッチで、mRNAを変異株に合わせて製造する「トップアップワクチン／Topup-vaccine」のデータを知ることも可能で、接種を繰り返す「ブレイクスルー感染／breakthrough infection」者を納得させるだろう。

実は最新のスマホには既に目に見えない「量子ドットタトゥー」の存在を確認できる「赤外線カメラ」が内蔵され始めており、こういうアメリカを中心とする「新世界秩序」への仕掛けを〝プランデミック／Plandemic〟という。

そして時が来た段階で「獣／バラク・オバマ」が登場し、「New World Order／新世界秩序」の美名で、世界の「グレートリセット／Great Reset」を行い、己を神と拝むか否かで生き残った人間をさらに識別するために使われる。

このままでは黒幕の「パワーブローカー／Power broker」である「国際資本主義」の金融と資産を全て支配する「ロスチャイルド／Rothschild」「ロックフェラー／Rockefeller」に太刀打ちできないかに見えるが、「ヤハウェの民：ヤ・ウマト（大和民族）」が大和民族のために記録した『聖書』に、大和民族の世羽（ヨハネ）が残した黙示録に答えがある。

「獣は聖なる者たちと戦い、これに勝つことが許され、また、あらゆる種族、民族、言葉の違う民、国民を支配する権威が与えられた。地上に住む者で、天地創造の時から、屠《ほふ》られた小羊の命の書にその名が記されていない者たちは皆、この獣を拝むであろう。」（『新約聖書』「ヨハネの黙示録」第13章７〜８節）

これは聖なる教会（原始キリスト教会）が転んで666になって悪魔に負ける預言だが、アダム以降連綿と続く男系が維持される天皇家が管理する「神道」の敗北ではなく、「人類最後の砦《とりで》（セム・メーソン）」はモーセの正当な血統の天皇徳仁《なるひと》陛下によって死守される!!

「『だれでも、獣とその像を拝み、額や手にこの獣の刻印を受ける者があれば、その者自身も、神の怒りの杯《さかずき》に混ぜものなしに注がれた、神の怒りのぶどう酒を飲むことになり、また、聖なる天使たちと小羊の前で、火と硫黄で苦しめられることになる。』」（『新約聖書』「ヨハネの黙示録」第14章９〜10節）

ハム・メーソンの「パワーブローカー」とラムセスⅡ世の末裔でネグロイドの「獣／バラク・オバマ」と直接対決し、勝てるのはレビ族の王で「仁徳天皇《にんとく》」のアナグラムを持つ天皇徳《なる》仁《ひと》陛下しかなく、究極の神の兵器「三種の神器」と「契約の聖櫃アーク」を打ち立て、全知全能の神「天照大神（イエス・キリスト）」を、最初の天皇陛下のアダムと一緒に全地を奉献して地上へ招くのである!!

「量子ドットタトゥー」666をすべての人間に⁉

「量子ドットタトゥー」についての〈後編〉である。

2022年の早い段階で世界共通的に「ワクチン・パスポート／vaccine passport」が義務付けられるようになるが、「mRNA溶液筋肉注射」が嫌なら「mRNAカプセル」を飲むだけで「ワクチン・パスポート」が発行され、カプセルなら小学生でも構わない理屈で幼児にもワクチン服用が開始される。

が、それほど時間経過のない段階で「経皮パッチ」を付けることも推奨され、パッチを受けた人にだけ将来的に物の売買、公共設備の使用、公共の乗り物が利用でき、仕事を含む社会参加も自由にできるようになる。

が、一旦ヒトへの使用を認められたら、最終的に「完全なワクチン接種」を受けた証明に「mRNA」と一緒に受けることが義務づけられる。

この「経皮パッチ」の特許を獲得した「マサチューセッツ工科大学（MIT）」の研究者チームメンバーのケビン・マクヒューは、中世暗黒時代に頭が留《とど》まっている非接種者のせいで、毎年150万人以上が無駄に死亡している（嘘である：それは毎年の他の病死＋自然死と同数）と、接種と非接種を簡単に区分けできる「経皮パッチ」の正当性を主張する。

同じＭＩＴの研究者アナ・ジャクレネックも「発展途上国や低開発国では定期的にワクチンを接種することさえ難しいため、特に子供たちがいつどの病気のワクチンを接種したのかのデータが必要」とし、全ての病歴とワクチン接種を体内ファイルできる「経皮パッチ」の必要性を主張する。

だが、これは「獣の刻印／666」に構築されるプロセスに過ぎず、最終的に一人残らず生きるためには「経皮パッチ」を受けることが要求される。

ところで今回それとは別に大変な報告をしなければならない……。

最近の「肺炎球菌ワクチン」にナノ粒子の「酸化グリフェン」が混入されていることが判明したからだ!!

それは「肺炎球菌ワクチン：Prevenar《プレベナー》 13」で、それまでは幼児&高齢者用だったが成人にも認可され、肺炎球菌の莢膜《きょうまく》と呼ぶ多糖類に対し、キャリア蛋白《たんぱく》を結合させて抗原としたワクチンである。

その「プレベナー13」に殺菌効果を狙ってナノ粒子「酸化グラフェン」が混入されるとなれば、もはや世界中の医療業界は医療犯罪の嵐が吹き荒れていることになる。

「マイクロラマン分光法」で分析しレーザーを放射すると、折り目がある「クリネックスティッシュ」のような「グラフェンナノシート」が見え、分光法で指紋を測定すると「還元型酸化グラフェン」に特徴的な2つのピークが得られた。

病院側が「肺炎球菌ワクチン」のナノ粒子の残骸を分析しないのは謎で、彼らは凶器を隠蔽《いんぺい》し続けることで大虐殺の共犯者となり、文字通り「超国家組織」に仕える殺人者でもある。

当然、黙って「酸化グラフェン」を混入する製薬会社も同様で、世界人口の削減が目的で超富裕層国家「リッチスタン」から莫大《ばくだい》な収益を得ていることになる。

日本でも最近になって高齢者肺炎の原因の第一位の肺炎球菌に対するワクチン「ニューモバックス」と「プレベナー13（13価結合型ワクチン）」が選択接種できるようになった。

従来の「肺炎球菌ワクチン」は5年定期接種が必要な「ニューモバックス」で、一方の「プレベナー13」を病院側は「ニューモバックスに比べやや複雑な分子構造のワクチン」としか説明せず、現場の医師はナノ粒子混入を知らない可能性がある。

「プレベナー13」の説明書にも「キャリア蛋白を結合させるため、T細胞というリンパ球の活性化が起き、B細胞から持続的に抗体が産生され、相当な免疫応答が期待でき、長期間にわたり肺炎の予防効果が期待できる」としか書かれていない。

5年ごとの肺炎球菌ワクチン「ニューモバックス」と違い、「プレベナー13」は一度の接種で免疫が持続し肺炎予防効果があるというが、一度の接種で死亡するので二度目を打つ必要がなく、そもそも「13」の意味も故意なのか？

無害な新型コロナ禍で脅かして接種させる「mRNA溶液」と同じ危険な「プレベナー13」は、日本では任意接種のため、病院では必ず「ニューモバックス」を指定し、箱も打つ前に自分で医師と一緒に確認することをお勧めする。

ビル・ゲイツは宿敵の「肺炎球菌ワクチン」も汚染しており、2種類の肺炎球菌ワクチンを併用する「カクテル接種」がより強い肺炎予防の効果が期待できると騙し、特に「糖尿病」「悪性腫瘍《しゅよう》」のあるヒトは免疫力が低下しているため、「プレベナー13」との併用を勧めると騙す。

「プレベナー13」は一度接種したら生涯打つ必要がない触れ込みなので「ニューモバックス」と間違いようがないが、医師や看護師のミスで万が一接種したら、現行では「酸化グラフェン」の分解に効く「5ALA」（市販されている）を9カプセル毎日飲み続けることぐらいしかない。

血管を切り裂く〝ナノ・カッター〟の「水酸化グラフェン」の確認はまだないので何とも言えないが、仮に含まれているとしたら、体外に出すことは現時点では難しいとされる。

クリスマスは悪魔崇拝のシンボル

既に究極まで極まった「国際資本主義体制」を、金融、資産、資金面で裏から支配するイギリスの「ロスチャイルド／Rothschild」とアメリカの「ロックフェラー／Rockefeller」が「イルミナティ（後期）／Illuminati」を形成している。

1971年の「ニクソンショック」以降「金本位制」の縛りが消滅した結果、ロスチャイルドは「イングランド銀行」で無限に「ポンド紙幣」を刷れ、ロックフェラーは「FRB/アメリカ連邦準備制度理事会」で基軸通貨の「ドル札」を「アメリカ造幣印刷局」で幾らでも印刷できる。

そのため、世界を英米の超弩級《ちょうどきゅう》二大富裕層が空中に浮かぶキャップストーンのように、仮想国「リッチスタン」を形成、金融、資金、資産を人質に下層世界の経済を牛耳《ぎゅうじ》り支配する構造となった。

ロスチャイルドが初代ジョン・ロックフェラーをアメリカに送り、莫大な資金で石油王にした後、基軸通貨のドルの支配者とし、その両者の祖が「バベルの塔」を築いたニムロド王で、彼らは世間で言われている「アシュケナジー系ユダヤ」でも「WASP/White Anglo-Saxon Protestant(アングロ・サクソン系プロテスタント)」でもない「カナン人」である。

その「カナン人」の王ニムロドの生誕日が12月25日で、羊飼いが野営する4月以降に生まれたイエス・キリストの生誕「Christmas」ではない「Xmas」で、世界中がキリストの名を騙《かた》る偽キリスト、ニムロドのシンボルの「X」を祝っている。

事実、Xmasのmerry Xmasは「Magical or Merriment Communion with Nimrod(ニムロドとの魔術と快楽の交わり)」と叫んでおり、事実、ニムロドの意味はヘブライ語で「(神に)反逆する者」で、サンタクロースは子供を袋に入れて食い殺す「児童喰人鬼《しょくじんき》」で、ニムロドが

「バアル神（悪魔）」の巨大な牛像で幼児を焼いて喰い殺す儀式に由来する。

実際、「サンタ／Santa」の「n」の位置を入れ替えると「サタン／Satan」になるアナグラムになる。

宗派を問わず殆どの「キリスト教会」は「イルミナティ（後期）／Illuminati」によって「悪魔崇拝」に陥る中、正当な「ヤハウェの民（ヘブライ語：ヤ・ウマト）」の大和民族は、金鵄《きんし》が舞い降り「橿原宮《かしはらのみや》」で天皇に即位した神武天皇から天照大神（イエス・キリスト）の生誕日を正確に紐解《ひもと》けるようになっている。

神武天皇は「神」の名を有する以上は皇祖神「天照大神」の象徴を背負う存在で、その神武天皇が崩御した日を「橿原神宮」は4月3日とし「神武天皇祭」を毎年行っている。

これを救世主イエス・キリストの磔刑死《たっけいし》の日とすると、3日後に復活した日は4月6日となり、欧米のキリスト教会でも4月の初旬に「復活祭」を祝っている。

ニムロドが死んで復活した（切り倒された木から若葉が出た）日が誕生日と同じ12月25日とし、「復活の死の木（ニムロドツリー）」を祝う行事と符合させると、イエス・キリストの生誕と復活も同様の仕組となり、4月6日で羊を放牧する季節となる。

そもそ「春」は漢字分解すると「三・人・日」で太陽の三柱「父・子・聖霊」の三位三体の意味で、ニムロドの「(己・妻・母) 三位一体」と対峙《たいじ》する。

その世界支配者の末裔のロスチャイルドとロックフェラーが、「令和」の2019年になるや、それまで綿密に準備してきた「人類大虐殺」をビル・ゲイツを使って一斉に開始する!!

赤ん坊や幼児が感染しても殆ど無毒なゲノム製造ウイルス「ＣＯＶＩＤ－19」を撒《ま》き餌《え》に、人類を絶滅させる恐怖のウイルス出現と宣伝、一斉にビル・ゲイツの母型（鋳型）で製造した猛毒の「ｍＲＮＡ」を接種させていった。

「ｍＲＮＡ溶液」にはヒトの免疫系を破壊する仕掛けがあり、2回、3回と接種を重ねる度に免疫系が消滅、そこへ「ＣＯＶＩＤ－19」の変異が繰り返されると、変異の度に「変異株」に感染しやすくなり、幾ら接種しても効かない恐怖のパンデミックが発生、より強力な変異株出現の錯覚を世界中に与え、非接種者が変異株の蔓延を助長すると煽《あお》ることで、死への「ｍＲＮＡ溶液」接種への「同調圧力」を強めていく。

ビル・ゲイツが煽る嘘と誤魔化しのトリックにまんまと引っ掛かった世界は、確実に「ＨＩＶ：ヒト免疫不全ウイルス」化した「ＡＩＤＳ：後天性免疫不全症候群」で死んでいく。

さらに「変異型プリオン蛋白質」で脳、髄、中枢神経が溶ける「ＢＳＥ：狂牛病」で死亡、さらにナノ粒子の「酸化グラフェン」「水酸化グラフェン」で血管が破壊され脳梗塞《のうこうそく》、肺梗塞、心筋梗塞、さらにくも膜下出血、脳溢血《のういっけつ》で死んでいく。

その上、マイナス70度Ｃで冬眠させた正体不明のヒドラ型人工生命体が、常温で孵化《ふか》して血管の中を泳ぎながら脳を腐らせる様は尋常ではない。

結果、接種者が瀕死《ひんし》の状態に陥って病院がパンク状態に陥ると「ロックダウン」で都市封鎖になるが、非接種者には殆ど何の健康的影響がない……当たり前である、新型コロナウイルスは「風邪」程度のウイルスだからだ。

毎年、持病や基礎疾患のある老人が、誤嚥《ごえん》、風邪、インフルエンザで多数死亡するのを、コロナ感染死にしてカウントしているだけで、実際、65歳以上の高齢者の死者数は日本、アメリカ、インド、ブラジル、等、最終的に世界規模で見た場合の老人の死亡者数は、パンデミックが爆発した2020年でも全く何も変わっていない。

が、これからは違う……「mRNA溶液」を接種した膨大な数の人間が一斉に死亡していくため、全て元のコロナ感染から「コロナ感染死」となり、妄想が数字となって現実化していく。

毎年、資本主義の巣窟《そうくつ》アメリカNYのランドマーク「ロックフェラー・センター」に数十メートルもの傲慢《ごうまん》の象徴クリスマスツリー（死の木）が飾られる意味は、ニムロド復活への「歌声」となる!!

その象徴は近未来の出来事でも起き、「666」を受け生き残った世界中の人々の様子が「獣」のクリスマス（木曜聖日）になる。

「さまざまの民族、種族、言葉の違う民、国民に属する人々は、三日半の間、彼らの死体を眺め、それを墓に葬ることは許さないであろう。地上の人々は、彼らのことで大いに喜び、贈り物をやり取りするであろう。」（『新約聖書』「ヨハネの黙示録」第11章9〜10節）

モーセの末裔である天皇徳仁《なるひと》陛下と神はそれを断じて許さない!!

mRNAワクチンの食用化!?

ビル・ゲイツは既に準備してある「持ち札」を矢継ぎ早に国際舞台のカジノ場に出し始めた。次は食糧に「mRNA　COVID－19ワクチン」を混入させる技術で、非接種者でも食べる食糧にmRNAを挿入する最終段階だ。

全米一の農場主となるビル・ゲイツの農場が独占栽培するのは、「mRNA溶液」を接種しない人間に、野菜を介して「遺伝子治療溶液」を吸収させる悪辣《あくらつ》な技術で、遺伝子組み換え植物が「COVIDワクチン」の代わりとなるに十分な量の「mRNA遺伝子」を生産でき、ワクチンと知らず胃と腸から体内摂取させる最新ゲノム技術である。

「カリフォルニア大学リバーサイド校（UCR）／UC Riverside」が「mRNA溶液」を「ホウレンソウ」「レタス」等の食用植物に注入する技術を開発、ロックフェラー財団が支配する「全米科学財団」から50万ドル（約5150万円）の基礎技術開発助成金を獲得した。

ゲノムから「mRNA技術」を発見し「プリオン蛋白質」でRNAを覆う功績でアメリカの医学賞「ラスカー賞（2021年）」を獲得したカタリン・カリコが上級副社長を務める「ビオンテック（バイオンテック）社／BioNTech SE」が基礎技術で一枚噛んでいる。

「カリフォルニア大学」のナノバイオテクノロジー専門チームが、ドイツの「バイオンテック社」のｍＲＮＡを含むＤＮＡ技術を応用、今まで不可能だった植物細胞のＤＮＡにワクチン材料の複製を「葉緑体／chloroplast」にさせる技術に成功した結果の助成金である。

　今まで植物の「葉緑体」に別の植物の遺伝子を組み込めなかったが、「カリフォルニア大学」のナノバイオテクノロジー専門チームは、保護膜（プリオン蛋白質）に包まれた遺伝子を植物細胞に送り込んで成功、前例のない食物による「ｍＲＮＡ遺伝子治療」の道を開いた。

　結果、「カリフォルニア大学リバーサイド校」は同系列の「カリフォルニア大学サンディエゴ校」のナノエンジニアリング専門家ニコル・スタインメッツ教授を召喚する。

　２０２１年9月16日、「ＵＣＲ植物学部」で主導する准教授ファン・パブロ・ジラルドは、大学のプレスリリースで「ｍＲＮＡワクチンを食用化する!!」と発表、食用ワクチンの方がヒトの免疫系の奥深くまで届く（遺伝子変換できる）ことを示唆した。

　これは同時に「プリオン蛋白質」が変異する「狂牛病／ＢＳＥ」の牛肉を、口内摂取から消化器系経由で脳を溶かす「クロイツフェルト・ヤコブ病／ＣＪＤ」を誘発させ、１００パーセント死に至らす技術開発を意味する。

　総じて欧米の白人は「１＋１＝２」の合理主義でしか真理を理解できず、故に合理主義を極めれば自然は制覇できる対象となる。

　一方大和民族は「八百万《やおよろず》の神々＝唯一神」から「唯一＝無限」とするため、大自然のコントロールと支配は不可能とする。

欧米の科学者は「1個のリンゴ＋1個のリンゴ＝2個のリンゴ」の単純さでリンゴ2個と答えるが、同じ大きさ、同じ重さ、同じ色、同じ模様、同じ味のリンゴが存在しない理屈で、大和民族は同じリンゴ2個とは判断しない。

このことは自然を制覇できる思考の白人種（白人のフィルターを通った欧米キリスト教会も同じ）と、自然と和して同化する「神道」との根本的違いである。

もはや〝マッドサイエンティスト〟と化したジラルド准教授は「理想的に1つの植物で1人の人間に必要なワクチン量のmRNAを生産する!!」と豪語、株価のつり上げさえ狙っている。

さらに「我々は画期的な方法をホウレンソウとレタスでテストし、長期的に人々が自分の庭でmRNA野菜の栽培ができることを目標とする!!」と、まるで大自然を制覇したかのように胸を張る。

もちろん、アメリカのメジャーと手を組み食糧を独占するバイオ農業に焦点を合わせ、「農家が畑一面に栽培することも可能!!」と巨大資本主義への道筋を示す。

白人の合理主義は、遺伝子を植物の葉緑体（太陽光を植物が利用できるエネルギーに変換する植物細胞内の小さな器官）に効果的に届けることが「mRNA食品」の世界規模展開で重要とする。

さらにジラルド准教授は「葉緑体こそ植物が成長するに必要な糖分とその他の分子を生産する小工場で、望ましい分子を作る未開発のソースが隠れている!!」とし、「食用の植物に遺伝子組み換えを行い、mRNAを投与して一般消費者に提供することは夢の集大成である!!」と胸を張る。

前述のスタインメッツ教授も「我々のアイデアは、自然界に存在するナノ粒子である植物ウイルスを、植物の遺伝子導入に再利用することだ!!」と示唆、「ナノ粒子が葉緑体に到達するよう、または植物に感染しないよう、様々なエンジニアリング（科学技術の応用で物品を生産する技術）を行う!!」とフランケンシュタイン博士が「フランケン食品工場」を巨大資本で建設するかの勢いである。

ロックフェラー財団はその言葉を受け「全米科学財団」を通してさらなる追加支援160万ドル（約1億8283万円）を与え、磁気に反応するナノ材料（酸化グラフェン）を窒素肥料から葉緑体に直接供給する「標的窒素供給」技術の開発も進めさせる。

どうやら「神道」の要の天皇陛下が、大和民族（ヤ・ゥマト：ヤハウェの民のヘブライ語）の歴史と預言の『旧約聖書』『新約聖書』を、悪魔と手を組んだ欧米のキリスト教会から奪い返し、京都に隠された「失われた聖典」と共に世界に命令する時代が目前まで来たようだ。

ワクチン毒液によるジェノサイド

2021年12月1日、ドイツのアンゲラ・ドロテア・メルケル（当時）首相と次期首相就任予定のオラフ・ショルツ（当時）財務相、並びに16州の首相らとの会議で、ある重要な規制が決められた。

翌2日、ドイツ政府は新型コロナウイルス「COVID－19」の感染拡大に伴い、ドイツ全土に適用する「新規制」を発表したが、有無を言わさぬ選択肢がない内容だった。

レストランを含む飲食店、イベント会場、映画館、レジャー施設、競技場、生活必需品を取り扱うスーパーを除く全ての商店に、「ワクチン接種者」と「感染後回復した者」しか利用できなくすると同時に、2022年2月から〝ワクチン接種の義務化〟を表明した!!

つまりドイツ国家による強制権発動である!!

この強制的姿勢は、国内のコロナ・パンデミックが中々終わらない原因を非接種者がワクチンを接種しないという〝似非《えせ》科学〟の論理から来ていた。

これはビル・ゲイツの母型（鋳型）のゲノム溶液をドイツ人の全てに強制接種し、毒液で殺戮する民族浄化の「ジェノサイド／genocide」そのものである。

ドイツ人はアドルフ・ヒトラーの時代、結束主義の全体思想の「ファシズム」でユダヤ人を計画的に絶滅させようとしたゲルマン人である。

ナチスドイツの崩壊劇から半世紀以上経っても、やはりゲルマン人は追い詰められると元に戻るらしく、今度はドイツ人を有無を言わさず「アウシュビッツ収容所」の処刑場へ送り込むことを全会一致で決めてしまった。

これはナチスが推定600万人のユダヤ人を組織的&官僚的&国家的に大殺戮した「ホロコースト／Holocaust」と全く同じ行動パターンといえた。

昔からドイツは医学が飛び抜けて進歩してきた結果、現在も医学者の意見に異議を挟むことはご法度で、ましてコロナ禍を打破できるとされる「mRNA」を世界最初に発見したカタリン・カリコはドイツのバイオ企業「ビオンテック」の上級副社長なのでなおさらだった。

一度走り出したら権力で抑え込む国民性はナチス時代と同じで、「COVID－19」を「スペイン風邪」を上回るウイルスとする以上、後に戻ることはドイツ的に不可能で、当時のドイツは1日の新規感染者数が6、7万人という当時の日本と比較にならない様相で、当然、一部の州では病床が逼迫《ひっぱく》していた。

会議後の記者会見で当時のメルケル首相は「非常に深刻で、これまで以上の措置が必要だ!!」と述べたが、小人の巨大な影を見て恐れ慄《おのの》く老婆にしか見えなかった。

ドイツの新規制下では、ドイツ人は「ワクチン接種済み証明」がなければ公共的乗り物、飛行機への搭乗はできず、感染後に回復した者も「陰性証明」が不可欠となる。

催し会場の参加人数も定員の30～50パーセントになり、感染者が多い地域では催しを中止、サッカー等のスポーツイベントは無観客開催、感染者数が一定割合を超えれば、バーやディスコも営業停止になり、殆ど「ロックダウン」と同じになる。

ドイツは未接種者への接種を急ぎ、3回目の接種を加速させるというが、接種者ほど重度に感染する「ブレークスルー」で重篤化が進み、それの感染源を非接種者とするナチス的狂気が顔を覗《のぞ》かせた。

まるで当時のドイツは昔の全体主義（ファシズム）に戻ってしまった感があったが、ドイツ下院が否決したため、メルケルの思惑はショルツ首相によって断念させられた‼　2023年以降、日本も「一億火の玉」「ぜいたくは敵だ」の「挙国一致」で非接種者を「わがまま」「利己主義」と非難、「国賊」「非国民」と言う連中も出てくるかもしれない。

が、戦前戦中の日本的圧力は、国家よりも一般からの方が多く、隣組（向こう三軒両隣）の同調圧力、自警団による監視、企業内監視、工場内監視の圧力ばかりか、仮にマスクなしで道を歩いていたら怒鳴られたり、戸口に「この家ワクチン接種非協力のため危険」「この家ばい菌です」等の嫌がらせの方が大変になる。

インターネットでは、非接種を呼びかける「反ワクチンサイト」へ接種推進派や接種者からの攻撃が集中し、接種拒否の親の子を受け入れない保育所や、時には自分の親や子、親戚から「早く打て」と迫るケースも多々あったようだ。

ドイツでは「ナチス破壊攻撃型」だが、日本では「軍隊式虐《いじ》め型」と「庶民的陰湿型」の両面から来ると知っておく方がいい。

が、その内、間違いなくｍＲＮＡ接種者はこの世から凄い勢いで消えるため、確実に静かになるのを待つだけである。

ワクチン騒動の背後でアメリカで内戦が起きる？

コロナ禍でメルケル（前）首相は退陣寸前に本性を剝《む》き出し、ビル・ゲイツの母型（鋳型）のゲノムｍＲＮＡ溶液接種を２０２２年２月から強制するとし、ＥＵが掲げた「多様性」を踏みつけ「自由意思」すら認めない顔を晒《さら》した。

このゲルマンの民族性がナチスドイツを生んだＤＮＡで、平和時では隠せても緊急事態にはメッキが剝《は》がれて正体を現したことになる。

そのドイツとオーストリアは同族のゲルマン人で、方言差はあっても言語は同じドイツ語、文化もそっくりなのは当然である。

そのオーストリアのオーバーエスターライヒ州シュトローネス村の出身者が、ナチスドイツを興した独裁者アドルフ・ヒトラーで、１９３８年、ヒトラーは武力で「ドイツ・オーストリア合邦（アンシュルス）」をやったのは同じ民族だからである。

そのオーストリアで、ワクチン接種拒否者を狩る「ワクチン拒否者ハンター」が秘密裏に組織され、年間２７７４ユーロ（年間４万ドル）の賃金が支払われたことが暴露され、２０２１年12月から首相が責任問題で次々と入れ替る政治的大混乱状態に陥った。

特にワクチン接種反対者が大勢を占めるリンツ市は、ワクチン拒否者を追い詰める目的で罰金を科すことが決定、その罰金制が滞りなく進むよう「罰金検査官」まで雇われた。

この「罰金検査官」の職務は、「罰則命令書」の作成だけでなく、不服申し立ての処理も含まれるが、ワクチン非接種者にその理由となる「回復証明書」の提示を求めるという。

当時、国民が新しい行政法のもとで逮捕された場合、1年間投獄される可能性があるとされた。

この新法律下では、自分の身柄拘束の費用も強制され、中世ヨーロッパの「魔女裁判」のように裁判に掛かる費用を被告が払う暗黒時代へ簡単に逆行してしまった。

ドイツでは2022年2月までに、ビル・ゲイツ母型（鋳型）のゲノム溶液を体内に接種しない者には、最高で8000ドル（約83万円）の罰金を科せられる可能性が示唆され、仮に罰金を払えない非接種者は犯罪者として1年間の「実刑判決」を受けるとされた。

一方、南半球のニュージーランドでは、コロナ感染者を隔離収容する「巨大収容施設」が完成、ジャシンダ・アーダーン首相はフェイスブックのライブビデオで「巨大施設」で全員が監視され、それに逆らうと長期間滞在することも余儀なくさせるとまでコメントしていた。

アシュリー・ブルームフィールド保健局長も記者会見でコロナ感染者の収容施設について、「政府は収容施設を設置し、常に現場で保健スタッフを含むCOVID－19感染者の面倒を見る優れたプロセスとリソースを備えている」と発表しまるで狂気の沙汰《さた》だった。

これに対し、ニュージーランドの野党は、政府が1週間以上に渡って急激な患者の増加、病気の集団発生、感染多発の「アウトブレーク／outbreak」を段階的に操作したと非難している。ちょうどこの時期、カナダの最高医療責任者バーバラ・ヤッフェ博士が、強制的な大量コロナウイルス検査の的外れと無駄を暴露したときで、その数日後にニュージーランド政府の発表があったからだ。

一方、アメリカでは「民主党」のバイデン大統領が、２０２２年9月9日、「連邦職員」や一部の「医療従事者」に対するワクチン接種の義務化に関する「大統領令」に署名、１００人以上の従業員を雇用する企業の雇用主がワクチン接種か週１回の検査を義務付けるとしたが、ほとんどの「共和党」の州知事が反対を表明した。

全米50州の内で共和党出身知事は27州もあり、その中の少なくとも10州の知事が「違憲」として訴訟も辞さない構えを示した。

意味のない「マスク着用義務化」に反対するジョージア州のブライアン・ケンプ知事や、フロリダ州のロン・デサンティス知事は学校での生徒のマスク着用を義務付けることを禁止する州知事令を発令した。

一方、「民主党」が支配するニューヨーク上院と下院は、公衆衛生に対する重大な脅威となるワクチン未接種者を「無期限ＣＯＶＩＤ収容所」へ送り込み、無期限に公衆から分離する法案を可決すると発表した。

アメリカは（前）トランプ大統領の台頭と共に「ＣＯＶＩＤ－19戦争」に突入しており、州知事命令で動く州兵同士が睨《にら》み合う事態や、アメリカ人同士が実弾を撃ち合う〝内戦状態〟が起きる目前ともいえる。

一方、日本では山口県民の支持を受ける李氏朝鮮の（故）安倍晋三が、二度も腹痛で敵前逃亡し、「東京コリアンピック」の開会式もドタキャン遁走《とんそう》したにもかかわらず、弟で自由民主党山口県支部連合会会長の岸（李氏）信夫（前）防衛大臣でいる間、右翼的人気を演出するいつもの手口で「強い日本（コリアＪＡＰＡＮ）」を偽装、「アメリカ大使館（極東ＣＩＡ本部）」と天皇陛下の排除（暗殺）を企てていた。

タイミングよく菅「スガ＝カン：韓」（前）首相の命令で警察庁長官になった中村格《いたる》は、安倍友ジャーナリスト山口敬之の伊藤詩織レイプ事件を揉《も》み消した男で、案の定、天皇徳仁《なるひと》陛下を武装護衛する「皇宮警察」の切り崩しに乗り出し、員数を一気に減らす命令を下し始めていた!!

『竹内文書』も『聖書』の記述と一致する

世界を滅ぼした「ノアの大洪水」以前の旧世界で、ノアの長男のヤフェトは「五色人」からコーカソイド（白人種）の妻を娶《めと》り、次男のセムはモンゴロイド（黄色人種）の妻を娶り、三男のハムはネグロイド（黒人種）の妻を娶り、父母と一緒に「箱舟」に乗り大洪水を潜《くぐ》り抜けて新世界へと向かった。

「皇祖皇太神宮《こうそこうたいじんぐう》」（茨城県）が伝える『竹内文書』は、旧世界の1年を360日とし、人類の祖を五色人の中央の「金（黄色人種）」とする。

　人類初の殺人を犯したカインの肌が黒く変えられ、そのアルビノ（白子）が白人となったことが見えてくるが、『竹内文書』は大洪水後「黒人の祖おりける」と記し、カインが大洪水で死ななかったことを記している。

「カインが弟アベルに言葉をかけ、二人が野原に着いたとき、カインは弟アベルを襲って殺した。……（中略）……主はカインに言われた。『いや、それゆえカインを殺す者は、だれであれ七倍の復讐《ふくしゅう》を受けるであろう。』主はカインに出会う者がだれも彼を撃つことのないように、カインにしるしを付けられた。」（『旧約聖書』「創世記」第4章8〜15節）

「まさにこの日、ノアも、息子のセム、ハム、ヤフェト、ノアの妻、この三人の息子の嫁たちも、箱舟に入った。」（『旧約聖書』「創世記」第7章13節）

　ヤ・ウマト（大和民族）は古代ヘブライ語の「ヤハウェ（英語：エホバ）の民」の意味で、アブラム（後のアブラハム）もイサクもヤコブもヨセフもモーセもイエス・キリストも全て、黄色人種の「セム」から出て、白人種の「ヤフェト」から出ていないとする。『聖書』をイギリス王室の記録とし、自分たちをイエス・キリストと同族とするのは大嘘で、白人のアダムやノアやアブラハムもイエス・キリストも全て白人種の妄想である。

「セムは、アルパクシャドが生まれた後五百年生きて、息子や娘をもうけた。アルパクシャドが三十五歳になったとき、シェラが生まれた。……（中略）……テラが七十歳になったとき、アブラム、ナホル、ハランが生まれた。」（『旧約聖書』「創世記」第11章11～26節）
「アブラハムの子ダビデの子、イエス・キリストの系図。アブラハムはイサクをもうけ、イサクはヤコブを、ヤコブはユダとその兄弟たちを……（中略）……ヤコブはマリアの夫ヨセフをもうけた。このマリアからメシアと呼ばれるイエスがお生まれになった。」（『新約聖書』「マタイによる福音書」第1章1～16節）
現在のイスラエル人は「アシュケナジー系ユダヤ」というコーカソイド（白人）系がユダヤ教に改宗した〝宗教的ユダヤ人〟で、〝血統的ユダヤ人〟とされる黒髪と黒い瞳の「スファラディー系ユダヤ」ではなく、今のスファラディー系の多くはソロモンの子を宿したシバの女王が生んだエチオピア系である。
イエス・キリスト生誕の馬小屋に東から来た博士（占星術者）たちは、極東イスラエル（日本）から来た「失われたイスラエル10支族」の族長たちで、12支族＋レビ族でヤ・ゥマトの救世主誕生を祝ったのであり、アーリア系のインド人でもアラブ人でもなければ「三博士」でもない。
その話が馬小屋で生まれた聖徳太子「厩戸皇子《うまやどのみこ》」による〝十人の話〟を聞き分けた逸話になっている。

「イエスは、ヘロデ王の時代にユダヤのベツレヘムでお生まれになった。そのとき、占星術の学者たちが東の方からエルサレムに来て、言った。『ユダヤ人の王としてお生まれになった方は、どこにおられますか。わたしたちは東方でその方の星を見たので、拝みに来たのです。』」(『新約聖書』「マタイによる福音書」第2章1、2節)

さらにイエス・キリストは大和民族（ヤハウェの民）にしか使わされていないと断じている。

「イエスは、『わたしは、イスラエルの家の失われた羊のところにしか遣《つか》わされていない』とお答えになった。」(『新約聖書』「マタイによる福音書」第15章24節)

そのため、イエス・キリストは使徒（パウロは含まれない）たちに失われた同胞（ヤ・ゥマト）の処《ところ》へ行けと命じている。

「イエスはこの十二人を派遣するにあたり、次のように命じられた。『異邦人の道に行ってはならない。また、サマリア人の町に入ってはならない。むしろ、イスラエルの家の失われた羊のところへ行きなさい。」(『新約聖書』「マタイによる福音書」第10章5、6節)

それで、使徒の一人のトマスはインドへ渡り、イッサ（イエス・キリスト）が布教した一帯を伝道、日本では「達磨大師《だるまだいし》」の「禅」として伝わる。

今、世界中のキリスト教会が使う『旧約聖書』『新約聖書』は全てヤ・ゥマト（大和民族）の記録で、イエス・キリストの磔刑後パウロがローマに伝道し、紆余曲折《うよきょくせつ》を経て欧米各国に伝播《でんぱ》した物だ。

結果、ギリシア語訳、ラテン語訳、英語訳など白人の翻訳フィルターが何層にも掛かっているため、日本人にはバター臭くてキリスト教を受け入れ難いものにしている。

しかし、アダム（アダマ）を「阿魂」、モーセを「申瀬」、ヨシュアを「与謝」、マタイを「馬太」、マリアを「真里亜」、キリストを「基督」と漢字変換すれば一気に身近なものになり、昔のキリスト教の呼び名「耶蘇《ヤソ》教」も、「ヤ（ヤハウェ）・蘇《よみがえ》り」の意味と知れば下手な説明は不要となる。

そのヨハネ「世羽」が今の大和民族に警告した預言が、欧米のキリスト教は「原始キリスト教」を含め全て悪魔化する内容で、欧米に従ってはならないとする警告である。

「獣は聖なる者たちと戦い、これに勝つことが許され、また、あらゆる種族、民族、言葉の違う民、国民を支配する権威が与えられた。」（『新約聖書』「ヨハネの黙示録」第13章7節）

これは現在進行形で進む「偽コロナ禍」によるｍＲＮＡワクチンの半強制接種に大きく関わり、人類最後の年号「令和」への突入が「黙示録」の開始と知れば垣間見《かいまみ》えるはずである。

白人の「原始キリスト教会」は、ロックフェラーやビル・ゲイツを支持、アメリカ政府と一体化した瞬間、悪魔化するという預言だ!!

世界の末に生まれる悪魔と闘う若者から赤ん坊までを根絶やしにする「イルミナティ（Rothschild&Rockefeller）」の国家を超えた大虐殺が今も進行中で、その支配層に「原始キリスト教会」が全面協力すると預言する仕掛け（年号で判断できるのは日本人カバリストだけ）

と知るべきだろう。

そうすれば「神道」の最重要性と、その主であるアダムから数えた最後の天皇陛下の世界的使命が、大預言者モーセの末の者から見えてくるはずである!!

第４章

安倍元首相銃撃の不可解なミステリー

故安倍晋三国葬儀

ＣＩＡと李氏《りし》朝鮮が皇室を支配している

２０２２年６月12日、秋篠宮文仁親王《あきしののみやふみひと》と文仁親王妃紀子《きこ》夫妻が出席した「(第70回) 全国ろうあ者大会 in ひろしま」だったが、このとき、毎日新聞の（元）編集委員のジャーナリスト江森敬治が、37回もの秋篠宮インタビューをまとめた本、『秋篠宮』（小学館）が既に発行されていた。

２０２２年10月26日の長女（眞子）の結婚をめぐる秋篠宮の心境告白のスクープ本で、小室（kim）圭問題では、関係各所に様々な波紋を呼んだ上に、皇室を騒がせた以上、陛下に出版のことを事前に伝えるのが筋だが、秋篠宮は完全に黙殺したため「ついに天皇陛下も不快感を示された」という。

今回の暴露本の出版にゴーサインを出した秋篠宮に、宮内庁と皇室からの風当たりは相当で、特に宮内庁は曲がりなりにも皇位継承順位一位の立場でありながら、直近のしかも相手のある事柄について、本音と称してペラペラ捲《まく》し立てたのは軽率のそしりをまぬかれないとした。

一方、突然、何の報告もなく寝首を掻《か》かれた形の天皇徳仁《なるひと》陛下だが、刊行を聞いてまず皇室の立場をどれだけ弁《わきま》えたかを心配し、その後、内容を確認した陛下は、秋篠宮の分別を弁えない姿勢に相当不快感をお持ちになったという。

２００４年の秋篠宮の誕生日会見では、当時の皇太子（現・天皇）が、雅子妃殿下のために様々な心配りをする公務の在り方に対し、「私としては残念に思います」と窘《たしな》め、「私個人としては、自分のための公務は作らない」と、自分の方が天皇に相応《ふさわ》しいメッセージを国民に送っていた。

秋篠宮は（現）上皇の天皇時代、当時、心の悩みから皇室に協力的ではない雅子皇后や、愛子内親王の登校拒否問題等で、自分に皇位が譲位されると「アメリカ大使館（極東ＣＩＡ本部）」から打診されていたにもかかわらず、２０１６年8月8日は「退位宣言」だけだったため、結果として自動的に皇位が兄に移譲されたことに激しいショックを受けた。

結果として、秋篠宮は兄の天皇陛下が決まる２０１９年11月14日、15日の「大嘗祭《だいじょうさい》」に突然イチャモンを付けはじめる。

「大嘗祭については、これは皇室行事として行われるものですし、ある意味の宗教色が強いものになります。私はその宗教色が強いものについて、それを国費で賄うことが適当かどうか」と疑問を呈し、「私はやはり内廷会計で行うべきだと思っています……（中略）……言ってみれば身の丈に合った儀式にすれば」。

国民を出汁《だし》に使ってケチつけをしたが、予算は22億５０００万円であった。大嘗宮費用は削減されたが、総費用は、予算を上回る27億円余となった。

当然、秋篠宮の長女と在日の小室（kim）圭の結婚で、皇室の「納采の儀《のうさい》」を行わなかったことにも不満を抱いていた。

「生前譲位」で同様に天皇陛下に逆恨みしたのが、奈良県で銃撃され命を落とした安倍晋三で、この男も終戦後、「GHQ／連合国軍最高司令官総司令部」から政界に送り込まれた岸信介の血を引く李氏朝鮮で、2019年2月、国会の長妻議員の質問の「ギリシアも統計の問題が発端で経済危機が起こった。統計の問題を甘くみないほうがいい。扱いによっては国家の危機になりかねない。そういう認識はあるか？」の質問に対し、安倍晋三は満面の笑みを浮かべながらこう答えている。

「いま、長妻議員はですね、国家の危機かどうか（と訊《き》いた）。私が国家ですよ‼」

国家とは国体で天皇陛下を指すが、そんなことは李氏朝鮮には関係ないようで、日本国王を安倍晋三が継承し、象徴の天皇陛下を秋篠宮が継承すれば、アメリカが望むように日本は李氏朝鮮の両輪で支配されるアメリカの自治領となる。

そのアメリカを裏切った明仁《あきひと》に怒りを禁じえない安倍（李）晋三は、明仁が選んだ新天皇の即位に伴う「新元号」の発表を、わざと「四月馬鹿（エイプリルフール）」の4月1日と決め、それを世界中に発信した。

安倍（李）晋三の新天皇軽視の行動はこれにとどまらず、2019年10月22日の「即位礼正殿の儀」で高御座《たかみくら》に立つ新天皇徳仁《なるひと》陛下と、御帳台《みちょうだい》に立つ雅子皇后両陛下に対し、全国民の意思と支持を表す「内閣総理大臣の寿詞（国民代表の辞）」を読み上げる際、安倍晋三は天皇皇后両陛下を最大限に侮辱した。

「天皇、皇后両陛下には末永くお健やかであらせられますことを願っていません!!」これは、日本人の大多数の願いと真逆の言葉で、「言魂」で言えば「両方とも早く死ね!!」と言ったことになる。

そして「皇居正殿松の間」の大敷居を土足で何度も踏みつけ、万歳三唱を〝相手の両肩を切断する朝鮮式呪詛《じゅそ》〟をやってのけた……。

結果、安倍晋三が行った朝鮮式の呪《のろ》いは、鏡でもある天皇陛下から己の身へと跳ね返り、惨めな最期を遂げることになるが、日本名にロンダリングした在日が圧倒支配する自民党は、北朝鮮系の創価学会公明党と共に、日本国最大の偉人の証明となる「国葬」にするのは、日本人を支配する李氏朝鮮の国王の死を、奴隷である日本人全てに分からせる意味があった!!

「自分は朝鮮人」と安倍晋太郎は告白!?

戦後、ダグラス・マッカーサー率いる「GHQ／連合国軍最高司令官総司令部」の日本占領政策「WGIP／War Guilt Information Program（戦争罪悪感プログラム）」を遂行させるため、A級戦犯で絞首刑になる寸前の岸信介をマッカーサーが「巣鴨《すがも》プリズン」から救い出した。

岸は「木・子＝李」と書き、「金」「朴」など一字姓を習慣とする朝鮮民族が「創氏改名《そうしかいめい》」で好んだ姓名の一つとされ、岸信介は李氏の〝岸《ガン》要蔵（本名：李《リ》要蔵）〟の末裔と判明しており、要蔵は、朝鮮半島の遼陽《りようよう》から山口県熊毛郡田布施町《くまげぐんたぶせちよう》戎ヶ下《えびすがした》にきた在日一世で、李氏朝鮮の初代国王李成桂《イ・ソンゲ》の末孫と「ＧＨＱ」の下部組織「ＣＩＥ（Civil Information and Educational Section）／民間情報教育局」が調べ上げていた。

その岸を岳父に持つ安倍晋三は、自分の母の岸洋子も系図を辿《たど》ると「岸《ガン》要蔵」に行き当たり、本名を「李」の姓を持つ朝鮮民族と分かる。

事実、安倍晋三の父の安倍晋太郎は、家政婦など近い人間に「自分は朝鮮人だよ」とカミングアウトしており、「日韓併合」で旧皇族の梨本宮方子《なしもとのみやまさこ》が嫁いだ李氏朝鮮の皇太子・李垠《イ・ウン》の息子とされる。

戦前、日本に併合された李家は、「明治憲法」で皇室と同じ地位の「王公族」になったが、戦後、「ＧＨＱ」により「明治憲法」が廃止されたため、多くの皇族が「皇籍離脱」に遭い、李家も地位を失って下野することになる。

それまで「日韓併合」で李氏朝鮮の王族で10歳から日本にいた李垠は、「学習院」で学んだ後、「陸軍士官学校」を経て陸軍中将となり、１９２０年（大正９年）皇族の梨本宮方子と結婚した。

日本が敗戦する前の１９２２年（大正11年）、李垠夫妻は生後８ヶ月の李晋《イ・ジン》を連れ、李王の純宗《スンジョン》と対面させようとしたが、突然、李晋が下痢と嘔吐《おうと》を誘発し急性消化不良で急逝してしまう。

当時、李晋の突然死に不審な点が多く暗殺が囁《ささや》かれたが、日韓双方で王位をめぐる陰謀の犠牲になり兼ねない李晋を、帰国先の半島で死んだことにし、その間に半島に近い山口県の名家の「安倍家」に養子に出された情報がある。

当時、政治家だった安倍寛と静子の間に跡取りの男子がなく、1924年（大正13年）に生まれたのが安倍晋太郎（安倍晋三の父親）とされ、ところが奇怪なことに、生後80日足らずで自分が生んだはずの晋太郎を残し、静子の方が一方的に離婚して家を出ている。

最近の研究から、李垠の第2子で李晋の弟の李玖《イ・グ》の顔と、安倍晋太郎と安倍晋三の顔がソックリで、それなら「晋」の名を継承して三代目に〝晋三〟を名乗らせた理由も分かってくる。

それでも日本人の多くは、安倍晋三を韓国と北朝鮮と闘う本当の政治家と思い込む者が多く、青瓦台《せいがだい》の韓国政府は、李氏王朝の下僕官僚だった「両班《ヤンパン》」か、さらに身分が低い「中人《チュンイン》」「常人《サンミン》」が支配しているため、調子に乗って李氏朝鮮の王の安倍晋三の像を、慰安婦像の前に土下座させた直後、安倍晋三はそれまでの好韓から嫌韓に豹変《ひょうへん》している。

戦後、「GHQ」を引き継いだ東京の「アメリカ大使館（極東CIA本部）」は、自民党を傀儡《かいらい》にして岸信介を総理大臣に押し上げた際、「WGIP（戦争罪悪感プログラム）」を徹底するため、岸信介に韓国の「(元）統一教会」の教祖の文鮮明《ムン・ソンミョン》を支援するよう命令、以後、岸信介の孫の安倍晋三は「(元）統一教会」に全面協力、自民党最大勢力の「清和会」をはじめ次々と「国際勝共連合」「日本会議」をカモフラージュに協力体制を持った。

このとき「(元)統一教会」の日本の信者獲得術は「太平洋戦争で朝鮮民族にした日本人の悪行を、膨大な寄付によって反省の念を示さないと、貴方《あなた》は地獄に落ちる!!」で、正にアメリカが仕掛ける「WGIP（戦争罪悪感プログラム）」への協力体制そのものである。

同時に「GHQ」が押し付けた「在日特権」「在日就職枠」「特別永住権」をフルに活用した在日シンジケートは、「(元)統一教会」の後押しで「自民党」の国会議員として次々に当選、北朝鮮系の創価学会・公明党と共に、「アメリカ大使館（極東CIA本部）」の命令通り日本人を支配していった。

その最大勢力が自民党の「清和会」で、「(元)統一教会」と二人三脚だった細田博之元官房長官は安倍晋三に在日派閥を渡し、第一次安倍政権で防衛大臣、第二次安倍政権で自民党副総裁だった高村正彦に至っては「(元)統一教会」の顧問弁護士だった男である。

ラストエンペラーとなる天皇徳仁《なるひと》陛下の「令和」の御代《みよ》は、人類最後の年号で、大和民族〈ヤ・ウマト（ヘブライ語のヤハウェの民）〉が記した『聖書』でいう「ヨハネの黙示録」の時代となり、全ての悪行が明るみに出る御代である。

今、自民党（自民党だけではない）は「(元)統一教会」に責任を押し付けて逃げる算段でいるだろうが、その奥に自分たちが日本名にロンダリングした在日国会議員とバレる恐怖で一杯のはずである。

その一方、終戦直後から今も続く「在日就職枠」で、いつの間にか「日本商工会議所」の上層部を占める日本名の在日たちは、韓国新大統領の尹錫悦《ユン・ソンニョル》に「両国が首脳間をはじめ幅広く一層緊密に連携し、1998年の日韓パートナーシップ宣言の精神に基づく、未来志向の関係が構築されることを期待する。」（2022年3月9日）の決意をアピールしている。

一方、「日本経団連」の方も負けてはいない、日本の人手不足を韓国人の若者で補うプランを2017年から実行し、安倍内閣の下で毎年2万人が日本に渡っていた事実を知る日本人は果たしてどれだけいるのか？

李氏朝鮮の日本国王安倍晋三を日本国の偉人にしか許されない「国葬」にし、安倍晋三に日本人が平伏して見送る計画が、岸田首相によって決定されたが、指示したのは麻生太郎副総理である。

CIAは電通を利用して政界を支配

李氏朝鮮の安倍（李）晋三の葬儀を「山口県民葬」だけでも問題があるにもかかわらず、日本の偉人を追悼する「国葬」にする決定を、自民党最大派閥で韓国の「(元) 統一教会」とズブズブの関係で、殆どが日本名にロンダリングした在日系国会議員が占める「清和会」が、韓国政府に弱腰で岸田内閣と即決で決めた裏に、やはり在日系企業「電通」が絡んでいた。

「電通」というと、2015年12月、東京都内の女子寮で命を絶った高橋まつりさん以来、人を人と見ない「鬼十則」が要因とする見方があり、たとえば「周囲を引きずり回せ、引きずるのと引きずられるのとでは、永い間に天地のひらきができる（在日で日本人を引きずり回せ）」である。

安倍（李）晋三が名誉最高顧問を務める「東京コリアンピック2020」にも、在日シンジケートの一角の「電通」が深く関わり、開会式に世界的に名が知られる渡辺直美を〝豚〟にする企画が電通出身のCMクリエイティブディレクター佐々木宏が手掛けるはずだったが、途中でバレて大騒ぎとなり中止になった。

もともと「電通」は韓国系「Softbank」のCMに日本人の父を〝犬〟にして笑いを取る白戸家CMを手掛けた日本最大の広告代理店である。

日本人を「犬」「豚」に蔑《さげす》むのが好きな韓国系「電通」は、戦後アメリカが日本占領政策「WGIP／War Guilt Information Program（戦争罪悪感プログラム）」で強烈にバックアップした上、在日を多数送り込み、アメリカの後押しもあるため、コロナ禍以前は世界第5位の広告代理店に伸《の》し上がったが、もちろん、主要銀行は韓国系「みずほフィナンシャルグループ（FG）」である。

もともと「電通」は1901年に光永星郎が設立した「日本広告」が基盤で、終戦後、ダグラス・マッカーサー率いる「GHQ／連合国軍最高司令官総司令部」によって上田《うえだ》碩三《せきぞう》が公職追放された後、アメリカが送り込んだ吉田秀雄が社長に就任するや、「在日特権」「在日就職枠」「特別永住権」で次々と在日が無試験で入社、今や在日コリアンが殆どの要職を占めている。

「Ｓｏｆｔｂａｎｋ」も同じで（旧）国鉄民営化の「鉄道通信株式会社（ＪＲ通信）」を土台に発展したが、アメリカ帰りで佐賀県出身の在日の孫正義が就任するや、一気にアメリカへ門戸が開いて巨大化、メインバンクは同じく韓国系「みずほ銀行」である。

「東京コリアンピック２０２０」をマリオ姿でけん引したのが安倍（李）晋三で、そのエンブレムは、在日デザイナーの佐野研二郎が選ばれる出来レースで、選んだ全員が在日系なら、案の定「五輪エンブレム」もパクリの盗作と判明、その佐野の事務所「MR_DESIGN」のＨＰネームサーバーが日本人を蔑む「zyappu（日本人クソ野郎）」で、サーバーの「zyappu.com」のレジストラはアメリカの「NETWORK SOLUTIONS, LLC.」の保有するドメインだが、会社名「テコラス株式会社：Techorus Inc.」は、株主構成が「NHN PlayArt株式会社（１００パーセント）」の子会社で、そのホスティングサーバーが「韓国資本」と判明した。

その背後で蠢《うごめ》く「電通」が、李氏朝鮮の安倍晋三の葬儀を、日本人の税金で「国葬」にして儲ける仕組みを、「参院選」で大勝した岸田内閣が遂行するはずだった。

ところが、寸前に「(元）統一教会」と「電通」の関係が問題化、国葬会場の「日本武道館」の会長が「(元）統一教会」顧問弁護士の高村正彦自民党前副総裁で、「電通」から多額の献金を贈られた上、長男の正大《まさひろ》衆院議員（自民党）も「電通」出身なら、安倍昭恵夫人も「電通」出身というズブズブである。

「アメリカ大使館（極東CIA本部）」がステルス支配する日本で、「電通」は自民党の政治資金団体「国民政治協会」に巨額の献金を拠出する装置で、「(元)統一教会」と共に日本人奴隷化計画を推し進め、その最終ゴールが「天皇徳仁《なるひと》陛下をコリアンの小室（金）圭と入れ替える」で、その最終目的のためにアメリカが小室夫婦を預かっている。

コロナ禍で諦《あきら》めた「東京コリアンピック2020」を無理矢理2021年に開催すると豪語し、多くのスキャンダルで追い込まれた安倍（李）晋三は、常套《じょうとう》手段の腹痛遁《とん》走《そう》で首相を退いたものの、同族で自民党のフィクサー森喜朗の推薦で「東京コリアンピック組織委員会」の名誉最高顧問に就任したにもかかわらず、2021年7月25日の「無観客開会式」を突然ドタキャン、全てを天皇陛下に押し付けたまま遁走した。

実はこのとき、自衛隊のスナイパーが国賊安倍（李）晋三を処刑する情報があり、それに恐れをなしてドタキャンしたとされている。

「令和」は日本を含め世界の悪行が全て噴出する御代で、東京コリアンピック・パラコリピック大会組織委員会会長だった、ロシア領生まれの在日の森喜朗もセクハラ発言で引きずり降ろされ、李氏朝鮮の末裔の安倍（李）晋三が結局最後は公開処刑されても、自民党には鹿児島県南さつま市加世田小湊《かせだこみなと》の朝鮮部落出身の朴を改めた子孫の小泉純一郎と小泉進次郎がいて、在日の緑の狸（小池百合子東京都知事）等々、どこを見ても在日だらけでもはや日本人は救われない。

ここまで間抜けだったのが「団塊の世代」で、この世代の共通標語は「水と安全はタダ」で、彼らの娘の世代が「韓流ドラマ」に首まで浸かり、さらにその娘の世代が「新大久保通い」の「k－pop」に狂っている!!

その殆どが、ビル・ゲイツに騙され、遺伝子組み換え「コロナワクチン」を接種し、日本から消えてなくなる……。

在日特権と(元)統一教会と自民党

「電通」を引き剝《は》がすと「(元)統一教会」が顔を見せ、「(元)統一教会」を引き剝がすと「自民党」が顔を出し、さらに引き剝がすと「(故)安倍晋三」が出てくるため、自民党は何が何でも「在日特権」「在日就職枠」「特別永住権」で優遇下にある「上級国民」、さらにそこへつながる「三国人（在日朝鮮民族）問題」に飛び火しないよう、必死に類焼を避けねばならない状況にある。

そうしないと自民党の半数以上が在日国会議員とバレてしまい、与党どころか野党の大半も在日国会議員で構成され、それどころか東京都知事や愛知県知事など、さらにその先の地方議員の多く、さらに地方公務員まで「在日特権」「在日就職枠」「特別永住権」で在日を公務員にしなければならない義務があり、こうして日本人を上から下まで全て在日が支配する構造が、安倍（李）晋三の路上殺害から〝ドミノ倒し〟でバレてしまう。

それら在日の素性が「戸籍謄本」「除籍謄本」から追及されないよう、1970年代中頃、自民党が当時の三世代以前の「謄本」「除籍謄本」を全て削除するよう都心から地方まで通達、結果、在日朝鮮民族が誰かが全く分からなくなってしまった。

この戸籍データを「アメリカ大使館（極東CIA本部）」がデータベースに作り上げ、韓国のKCIAとも一部を共有して「青瓦台」が今も保管しており、もし「朝鮮戦争」が再発する事態になれば、韓国政府が日本の18歳以上28歳までの在日男子を徴兵する権利を持っている。

自民党が回収命令を下した日本の「戸籍謄本」「除籍謄本」は全て焼却したことになっているが、前述したように「警察庁」が全て保管しており、これが表に出たら最後、殆どの与野党の国会議員から知事、地方議員まで一斉に正体がバレる事態に陥る。

個人単位でも配偶者が朝鮮人と知る事態も起きるため、アメリカのダグラス・マッカーサーが仕出かした「WGIP／War Guilt Information Program（戦争罪悪感プログラム）」は、日本を徹底的に腐らせ、分裂させ、国家を破壊する時限装置だったことになる。

たとえば、2019年9月11日発足の「第4次安倍再改造内閣」の顔ぶれだけでも、党4役を含めると日本会議関連の国会議員懇談会幹部が12人もいるが、「日本会議」は体のいいカモフラージュで、実際は韓国系「(元)統一教会」と繋《つな》がる大臣と党４役が計12人もいる朝鮮民族内閣と判明する。

その安倍（李）晋三首相自ら、岳父で李氏の岸信介以来の「(元)統一教会」支援者で、官房長官時代には「(元)統一教会」の大規模イベントに祝電を送り、首相就任後も「(元)統一教会」の幹部を優先的に官邸に招待していた。

後の菅義偉《すがよしひで》（前）首相も、当時、本人も秋田の在日で、在日が多い神奈川選挙区に所属する官房長官で、安倍晋三絶対擁護の高市早苗総務相（当時）も（元）統一教会系で、福岡県を圧倒支配する麻生太郎財務相、さらに加藤勝信厚労相、下村博文党選対委員長も全て韓国系「(元)統一教会」と繋がっている。

さらに詳細に見ると、初入閣13人の中で６人も「(元)統一教会系大臣」がいて、萩生田光《はぎうだこう》一《いち》文科相は２０１４年の都内での（元）統一教会系イベントで来賓挨拶し、武田良太国家公安委員長、竹本直一ＩＴ政策担当相、山本朋広防衛副大臣らも、２０１７年の（元）統一教会系団体がワシントンで開催した「日米韓国会議員会議」、ニューヨークで教団が開催した「大規模（元）統一教会フェスティバル」にも参列していた。

当時の衛藤晟一《えとうせいいち》一億総活躍担当相も、２０１４年に（元）統一教会系団体で講演し、「(元)統一教会」の議員会館使用の便宜もはかり、田中和徳復興相に至っては、２０１６年に川崎駅構内での街頭演説で自身の名刺と（元）統一教会の機関紙「世界日報」を配っている。

菅原一秀経産相も、2017年に自身が代表を務める自民党支部が「（元）統一教会」系の「世界平和女性連合」に会費を払い、韓国有利の政治活動に協力する在日国会議員が半数を支配する自民党の実態を表している。

韓国の「（元）統一教会」は2016年に「IAPP／世界平和国会議員連合」を設立、（元）統一教会幹部が出席する「日本大会」に、竹本大臣や御法川信英《みのりかわのぶひで》国交副大臣を中心に自民党国会議員63人が出席、裏で〝（元）統一教会の日本の国教化〟を謳い上げた。

こうして日本名にロンダリングした在日が「自民党」の国会議員数の半数以上を占め、李氏朝鮮の安倍（李）晋三が長期政権を務める中、「在日特権」「在日就職枠」「特別永住権」で日本中の大学、大企業、TV局、四大新聞、芸能界、霞が関、警察（キャリア）、検察上層部にまで在日が座を占め、後は天皇家を李氏朝鮮が乗っ取れば完了するまでに至った。

2019年2月24日、現上皇の「天皇陛下御在位三十年記念式典」が東京の「国立劇場」で開催されたとき、自民党の国会議員の半数が式典参加の服装ルールに反発し、ボイコットする事態が発生した。

さらに、現上皇がお言葉を述べてから5分が過ぎ、原稿の3枚目を誤って1枚目を手に取り読み始められたのを、隣の美智子妃殿下が陛下に近づき3枚目の原稿を手渡されたのを見て、会場1階を占める自民党国会議員団の席から嘲笑《ちょうしょう》する笑い声が一斉に起きている。

これらは全て大和民族ではあり得ない行動で、天皇家を侮蔑《ぶべつ》することに慣れた民族性を感じると共に、実際、自民党の国会議員は小泉（朴）純一郎以降、安倍（李）晋三内閣で在日の輩《やから》で閣僚の席を占めていく。

在日が日本人を奴隷化した記念が、アメリカのプレゼントだった「東京コリアンピック2020」で、「アメリカ大使館（極東CIA本部）」主導で秋篠宮が天皇となり、朝鮮民族の日本支配を祝う朝鮮民族の大祭典になるはずだった!!

その中核だった安倍（李）晋三は、プーチン大統領の予想よりも早いタイミングでの「ウクライナ侵攻」で、2022年7月17日のイスラエル「第三神殿」建設を延期せねばならない事態となり、そうなるとボーイング機墜落の天皇暗殺も後回しとなり、もはや安倍（李）晋三は不要となり、それより米韓日体制重視に邪魔になる安倍を消す方が、韓国との「日韓通貨スワップ」に役立つと見たRockefellerによって消されたという噂もある。

が、「令和」では、些細《ささい》な火でも猛火となるため、RothschildとRockefellerの人類の命を支配する行為は、日本では逆に恐ろしい罪業となって跳ね返ってくることになる!!

ウクライナ侵攻が始まり、天皇暗殺は免れた!?

「東京コリアンピック2020」は、大会フィクサーである在日自民党の森喜朗、大会組織委員会名誉最高顧問で自民党の李氏朝鮮の安倍晋三の両輪で推し進められる中、在日コリアン盗作グラフィックデザイナーの佐野研二郎のエンブレムが東京の街々を覆い尽くし、安倍（李）首相が見守る中、李氏の秋篠宮の今上天皇文仁《ふみひと》陛下が高らかに「東京コリアンピック2020」の開会を宣言、奴隷の日本人たちが運ぶ聖火を国立競技場から韓国の窓口「フジテレビ本社ビル／FCGビル」の夢の大橋の有明側に設置された聖火台に移され、全競技の勝利者に送られるメダル授与も、コリアンのローマ字読み「KORI-SHOW PROJECT」で日本の糞野郎「JAP」を表題にする山口壮大《やまぐちそうた》デザインのチマチョゴリ服が注目されるはずだった。

それらが「生前退位（譲位）」と「コロナ禍」で大きく狂い、あれほど李氏朝鮮勝利の大祭典で盛り上がるはずが、泡の抜けたビールと化し、最も積極的だった安倍（李）晋三は公衆の面前で射殺されてしまった。

あまり知られていないが、日本では「検察」のTOPと、「警察」のTOPは在日しかなれず、日本人はナンバー2から上に行くことができない。

現在（2022年12月）、「検察庁」の検察官最上位（最高検察庁の長）は甲斐行夫検事総長だが、戦後、20年を経過した1964年以降、「東京高等検察庁検事長」から横滑りで起用されることが慣例化、全て在日が自動的にTOPの座を継承する仕組みができあがっている。

「警察庁」も同様で、警察庁長官も在日しかなれず、2021年12月現在、アベトモの山口敬之の伊藤詩織レイプ事件を揉み消した中村格《いたる》が就任していた。

（故）安倍晋三は「森友学園問題」の捜査の進展、森友に関連する「決裁文書の改ざん問題」、「国会虚偽答弁問題」、「加計学園問題」、防衛省・自衛隊の南スーダンやイラクの「日報隠ぺい問題」、「働き方改革関連法案」の基礎となる「裁量労働制データ改ざん問題」、「桜を見る会収支改ざん問題」など、事実や資料の隠ぺい、改ざん、虚偽答弁を全てやらかした最悪の首相だった。

当時の検察は出来レースで、安倍を「公選法違反」と「政治資金規正法違反」で不起訴とし、「東京第一検察審査会」が一部「不起訴不当」と議決したが、「特捜部」が再捜査（建て前）した結果、再び不起訴としたように、安倍（李）晋三と警察、検察の癒着が酷《ひど》すぎ、安倍の有罪を追及する声に「無罪推定を無視するのか」と一喝、調子に乗って三度目の総理大臣への道へ「最大派閥」を背景に邁進《まいしん》し始めた矢先の殺害だった。

安倍（李）晋三は何でも水に流して忘れる日本人の性格を悪用し、権力の座に何度も居座れることに自信を持ったため、「桜を見る会」を国民の金で催し、「森友学園問題」で在日の籠池泰典に土地購入の便宜を図り、「加計《かけ》学園問題」で友人の加計孝太郎に「総理のご意向」を発布、「伊藤詩織レイプ事件」で安倍（李）晋三の御用記者の山口敬之を警視庁を使って守り、街頭応援演説で安倍批判する者を警察権力で強制排除し、自分の身が危なくなった際の防波堤に黒川検事長の定年を強制的に延長させたが、黒川の賭けマージャン事件で頓挫《とんざ》する。

自分の身が危うくなった安倍は「第一次安倍内閣」と同じ〝腹痛緊急入院〟で敵前逃亡、その間、菅（韓）首相に「東京コリアンピック」を強行開催させた。さらに「大会組織委員会名誉最高顧問」にもかかわらず開会式をドタキャンで逃亡、（元）菅首相も内閣解散の置き土産に、「伊藤詩織事件」を揉み消した在日の中村格を警察庁長官に任命したため、安倍（李）晋三にとって自分を逮捕させない最大のチャンスがやって来た矢先の暗殺だった。

「右翼」は安倍（李）晋三をアメリカの言いなりの〝売国奴〟と知っており、安倍晋三が踏み込んだ嫌韓姿勢を見せるのは、安倍晋三が慰安婦の前で土下座する像ができてからで、李氏朝鮮の王族の安倍晋三にとって、青瓦台の両班《ヤンパン》どもに面子《メンツ》を潰された〝同族争い〟に過ぎない。

また、安倍（李）晋三は天皇家の男系維持を強く固執する姿勢を見せていたが、それは万が一にも愛子内親王が次期天皇になられては困るからで、仮にそうなれば朝鮮系の秋篠宮に皇位が行かないため、急いで「立皇嗣《りっこうし》の礼」を開催、秋篠宮に皇位継承順位一位を与えたが、これすら「コロナ禍」で7カ月も延びてしまった。

何が何でも刑事事件の追及で豚箱入りを避けたかった（故）安倍（李）晋三は、内閣を捨てて敵前逃亡、結果として菅政権が「立皇嗣の礼」を催すことになる。

秋篠宮は愛人問題やアルコール依存症で海外の王室ほど秋篠宮の性癖や出所を知っているため、「立皇嗣の礼」に祝辞を送ったところはなかった。

それでも安倍（李）晋三の思惑は、現・天皇徳仁陛下（今上天皇）を東京の「アメリカ大使館（極東CIA本部）」がボーイング機で暗殺した直後、アメリカに住む眞子&圭夫婦を帰国させる法案を造る計画でいたが、韓国に新政権ができる前に、Rothschild が予想したよりも早くロシアのプーチン大統領独断の「ウクライナ侵攻」が始まり、日韓の未来志向の象徴として天皇徳仁《なるひと》陛下を「国賓《こくひん》」として韓国に招待させる時期を逸してしまう。

とにかく、国民人気が圧倒的な愛子内親王が皇位を継承するのは最悪だったため、(故) 安倍 (李) 晋三は、「旧皇族復活」と抱きかかえの毒饅頭《どくまんじゅう》、「女性・女系宮家設立」を在日自民党の圧倒的議席数で強行採決し、皇位継承権を持つ秋篠宮の一言で、小室 (金 kim) 圭が緊急事態下で皇族となり、秋篠宮の長男・悠仁《ひさひと》親王が成人するまでの臨時天皇として任命、秋篠宮が上皇を継承して小室 (金) 圭天皇を補佐する形に持っていくはずが、プーチン大統領によって全て御破算となる。

仕方なくバイデン大統領は２０２２年5月20～24日、韓日を訪問し天皇陛下に、次の機会の布石として日韓の橋渡しの期待を伝え、アメリカ、日本、オーストラリア、インドの枠組「Ｑｕａｄ／クアッド」に参加した。

さらに、天皇入れ替えで日本から手に入るはずだったユダヤのレガリア、「三種の神器 (八《や》咫鏡《たのかがみ》・草薙《くさなぎのつるぎ》剣・八尺瓊勾玉《やさかにのまがたま》)」「御船 (契約の聖櫃《せいひつ》アーク)」がない以上、イスラエルに対し２０２２年7月17日の「第三神殿建設」を思い止まらせねばならず、慌てて２０２２年7月13～16日の中東訪問を決め、イスラエルに真っ先に訪問し次の機会まで待つよう指示、一方のプーチンも２０２２年7月19日にイランを訪問したのも「第三神殿建設」で全イスラム教国をイスラム原理主義のイランを中心に結束させるためだったが、バイデン大統領に肩透かしを食らってしまう。

そんな中、韓国と「通貨スワップ」を結んでも踏み倒されるのが分かるアメリカは、日本人なら幾ら損害を食らっても黙って従うので、日韓で共に邪魔な象徴の安倍を殺せば障害がなくなるため、消耗品としてさっさと射殺を許可したことになる。

自民党を選べば皇祖神の怒りを買う

2022年7月22日、東京都千代田区の首相官邸前で、参院選の街頭演説中に公開処刑された李氏朝鮮の末裔の安倍（李）晋三（元）首相の日本国での国葬に対し、護憲・反戦などを訴える複数の市民団体400人ほどが「憲法違反の国葬反対!!」「閣議決定徹底弾劾!!」の声を上げた。

安倍（李）晋三の日本国を挙げた国葬は、反対デモの真最中に首相官邸で開かれた閣議の席で、2022年9月27日に国葬を「日本武道館」で行うと決定、経費の全額は日本国民の税金で賄われるとした。

それに対し、反対するデモ隊は「岸田文雄首相は銃撃の政治利用を図っている!!」「法的根拠がない!!」「国民を強制的に喪に服させることになる!!」「思想信条の自由を保障した憲法に反する‼」等を訴えた。

同様の反対デモは金沢市内など各地でも開かれ、「共同通信社」が行った全国電話世論調査（7月30、31日）は、安倍（元）首相の国葬に「反対」あるいは「どちらかといえば反対」が計53・3パーセント、「賛成」あるいは「どちらかといえば賛成」の計45・1パーセントを上回った。

一方、安倍（李）晋三の国葬を独断専行で決定した岸田内閣の支持率は、51・0パーセントと7月11、12両日の前回調査から12・2ポイント急落、2021年10月の内閣発足以来最低となった。

日経の世論調査でも、岸田内閣の支持率は58パーセントで、6月調査の60パーセントから2ポイント低下、岸田政権発足以降2番目に低い水準となり、「国葬」については「反対」が47パーセント、「賛成」が43パーセントでやはり「反対」の方が上回った。

さらに世代別で見れば、60歳以上の「賛成」は38パーセントに過ぎないが、大学生を含む18～39歳は「賛成」が57パーセントを占め、何が何でも生活のために自民党を支持する「マニュアル世代」「あやかり世代」の若者が圧倒的に安倍（李）晋三に傾倒する姿が見て取れた。

岸田首相は、「参議院選挙」で圧倒的議席数を得た以上、国民に一切文句を言わせない〝上《じょう》意《い》下《か》達《たつ》〟のトップダウンで押し切ろうとしたが、さすがに学校や会社を休ませず、弔意を表す「黙とう」もせず、以後、安倍（李）晋三を敬う祝日にしないことが決まった。

そもそも安倍（李）晋三は多くの疑惑の総合デパートで、自ら国会で陛下を超える存在「国王（私が国家です）」を表明した男にもかかわらず「大勲位」の栄典を授け、1967年の吉田茂（元）首相以来、戦後2例目の国葬実施を決めた岸田首相の背後にいたのが、その吉田（元）首相の孫の麻生太郎副総裁だった。

この暴挙に国論が二分し、国会でも「(元）統一教会」と安倍（李）晋三の関係が問題視され、特に最大派閥の「清和会（安倍派）」が韓国の「(元）統一教会」とズブズブの関係で、その殆どが日本名にロンダリングした在日で構成されている。

実際、国民の大多数が自民党を選んだ参院選で、自民党の候補者に「世界平和統一家庭連合(（元）統一教会）の応援を希望する議員は記入するように」のアンケート用紙が配られ、一体、自民党の支持者は何を根拠に韓国系カルトと一体化する自民党を選んでいるのだろうか？

李氏朝鮮が日本人を制覇し、「アメリカ大使館（極東ＣＩＡ本部）」による天皇徳仁《なるひと》陛下暗殺に全面協力していた安倍（李）晋三を、天照大神の日本国で安倍晋三神格化を目指す在日自民党の決意は、皇祖神の激しい怒りを買うことは必定で、その連中を選挙で選び続ける日本人も只《ただ》では済まないだろう。

「国葬」となれば岸田首相にとって、世界の岸田をアピールできる最大の見せ場になるため、海外の首相クラスが呼ばれる弔問外交は満更ではないはずだった。

さっそく外務省は「国葬儀準備事務局」を設置、日本国の偉人として1万人以上が弔問に来る手はずを整え、李氏朝鮮の日本国王の死を世界に告げ知らす行為に、国葬費用3億円の全額は李氏朝鮮の奴隷と化した日本人の税金で賄《まかな》われた。

国民の半数以上が異論を唱える「国葬実施」であろうと、それと同じ国民が最大議席数を自民党に与えた以上、その議席数で押し切られるのは当然である。

果たして2021年（丑年《うし》）～2022年（寅年《とら》）を経て出てくる、日本を滅ぼす大祟り神《おおたたりがみ》「丑寅《ウシトラ》〈艮〉の金神《コンジン》」が起こす「日本列島大震災」「東京直下地震」「南海トラフ地震」は、アメリカと在日による最大の愚行を前にいつまで沈黙するのか、この静けさが逆に不気味である。

公安ファイルが示す多数の（元）統一教会関係者

2022年7月8日の安倍（李）晋三銃撃の日から、得体の知れない不可解な力が日本中で連鎖的に起き始めている!!

自民党の森喜朗（元）首相は、ロシア領生まれの在日国会議員として「東京コリアンピック2020」の競技大会組織委員会会長に就任、莫大な参加企業からのキックバックが政治献金として懐に入ることで己の権力を維持しようとしたが、調子に乗ってセクハラ発言を連発して会長の地位から滑り落ちた。

が、それでも「院政」を敷きながら、李氏朝鮮日本征服記念大祭典となる「東京コリアンピック2020」の大会組織委員会名誉最高顧問に、重要疑惑事件の連発で腹痛遁走した安倍(李)晋三を抜擢《ばってき》、自民党の在日集団で「(元)統一教会」と二人三脚の最強の「清和会」の裏のドンが、安倍晋三銃撃の2日後の7月10日夜、突然、風呂場で「血まみれ」で倒れ、意識混濁状態に陥ったため、救急車で集中治療室へ運び込まれている!!

その後を含む自民党への一連の動きは、韓国系「(元)統一教会」絡みのどす黒い流れを示《し》唆《さ》し、自民党官邸のポチと化した第29代警察庁長官中村格《いたる》に至っては、「伊藤詩織レイプ事件」のアベトモ・ジャーナリスト山口敬之の逮捕状を握り潰した男で、安倍の手配で一気に警察官僚のTOPへ上り詰めた直後、安倍(李)暗殺の最高責任者として「国葬」までに辞任する羽目に陥った。

そんな中、国会は韓国系カルトの「(元)統一教会」と自民党の癒着問題で大波乱に陥り、安倍銃撃の実行犯とされる山上徹也容疑者の一つの行動が、次々と連鎖反応を起こし、自民党内で「(元)統一教会」と関係する国会議員がどれだけいるか、共産党は追及チームを発足させた。

「立憲民主党」も「(元)統一教会」による「霊感商法」等の消費者被害対策強化に乗り出し、党内に対策本部を立ち上げた。

「日本維新の会」も、党所属の国会議員と「(元)統一教会」との関係性を調査することになり、野党一致で鉄面皮の誤魔化しで幕引きを図ろうとする自民党を徹底追及、「共産党」は地方議会への調査も開始した。

そんな中、突然、機密文書であるはずの「公安捜査ファイル」が公開、そこに「(元)統一教会」と関わる全ての現職議員の名前が暴露されていた。

「公安」といえば「警視庁公安部」だが、その「公安」が作成した捜査資料に、約2万6千人に及ぶ「(元)統一教会」関係者の名が並び、各々の職歴、勤務先、教団内の地位などが詳細に記載されていた。

「公安」は、韓国系の「(元)統一教会」を「オウム真理教」(現：真理党、Ａｌｅｐｈ《アレフ》、ひかりの輪、山田らの集団、ケロヨンクラブ)と同じ法治国家を脅かすカルトと見ていたため、前から詳細なリストを作成していたのだ。

この「公安ファイル」の分析はこれから始まる奈落《ならく》が自民党を襲い、たとえば1995年に都内で開催した「(元)統一教会」の幹部の朴普煕《パクポヒ》のイベント「朴普煕博士『希望の日』晩餐《ばんさん》会《かい》」に招かれた国会議員は、安倍(李)派の「衛藤晟一参院議員」「中川秀直元官房長官」「(故)越智通雄元経済企画庁長官」等が記され、岸田内閣の「根本匠元厚労相」も名を連ねていた。

実はここからが最大の問題なのだが、安倍(李)銃撃で始まった異様なうねりは、一体誰が背後で仕掛けているのかということである。

その前に、自民党は苦しくなると必ずやるのが「死刑囚の処刑」で、一時的とはいえこれで自民党への国民の批判の目を逸《そ》らしてきた。

今回も2008年6月8日、東京・秋葉原で起きた「秋葉原無差別殺傷事件」で7人を殺害、10人が重軽傷を負った、死刑になりたい拡大自殺で死刑が確定した加藤智大《かとうともひろ》の処刑が7月26日に執行された。

いつもの手口なら、次は大物有名芸能人の覚醒剤逮捕のはずだったが、犯罪者の側も自民党擁護のための材料に利用（悪用）されては救われまい。

それ以外にも、NHKの重役陣の殆どが、終戦直後のアメリカの占領政策「WGIP／戦争罪悪感プログラム」の「在日特権」「在日就職枠」「特別永住権」を利用し、NHKを筆頭に全TV局へ無試験で入社した後、在日シンジケートで結束して重役陣を占めた在日支配の半島系TV局ばかりで、東京の「アメリカ大使館（極東CIA本部）」の傀儡《かいらい》である「自民党」擁護がNHK最大の目的となった。

そのNHKが、自民党大勝の「参議院議員選挙」初の「第209回臨時国会」の、「(元）統一教会」で大荒れ状態答弁を先送りしたにもかかわらず、一切報道しない姿勢を貫いたのである。

要は「(元）統一教会問題」とリンクする在日系国会議員の立場を守るためなら、自民党の都合の悪い放送はたった3日の臨時国会さえ流さず、「ニュースウオッチ9」で「(元）統一教会問題」を取り上げても、安倍派で「(元）統一教会」の訴訟代理人弁護士だった自民党の高村正彦前副総裁を登場させ、擁護させるに至っては「日本放送協会」とは名ばかりの「韓国出先放送局」「韓国放送協会」の実態を露呈した。

もはや人類最後の年号「令和」は、全ての悪と膿《うみ》が、関係者自らの暴走と自滅で露呈される時代へと突入したかのようだ!!

安倍（李）元首相銃撃、不可解な出来事の数々

2022年7月8日、奈良県で「安倍（李）晋三銃撃事件」が起きたが、不可解な出来事が複合的に起きていたことが判明している。

◆宣伝カー‥

応援演説でよくある光景は「宣伝カー」の上で、候補者と応援者と選挙関係者たちが立っている光景である。

それが今回は何故できなかったのかだが、「選挙カー」が大型ではなかったからではなく、今の「選挙カー」は全て専用車のレンタルで、今回の「選挙カー」もワンボックスの普通車の改造型で、四隅にスピーカーを乗せたお立ち台付きのはずだが、上空から見た宣伝カーのお立ち台には「床」を乗せる骨組みだけで肝心の足台となる「床」がない。

そこで（故）安倍（李）晋三は平地に降りたわけだが、本来であれば背後を壁にして守るは

ずの「宣伝カー」が、わざわざ動いて20メートル離れた所まで移動していた。

担当者曰《いわ》く、「宣伝カーが傍にいたら、前日はハウリングしたため、それでは迷惑と思って移動させた」……。

まずこの当たり前のような展開に疑問があるのは、ハウリングを起こした「宣伝カー」の床が何故外してあったのかで、さらに言えば、この「選挙カー」は専用のレンタル会社で製作した物で、ハウリングなど起きない設計と配線になっていたはずで、何故そんな事態が前日に起きたのかだ。

この「選挙カー」を使った佐藤立候補者のウグイス嬢は、選挙期間中ずっとマイクで黄色い声を発していたはずで、その期間中ハウリングしていたら逆効果だったはずである。

◆奈良県警の不祥事勃発《ぼっぱつ》…

ここでいう奈良県警の不祥事は「安倍（李）銃撃事件」におけるセキュリティの甘さではなく、銃撃の前日の「奈良県警」で起きていた別の不祥事だった。

「銃撃事件」が起きた7月8日、実は「奈良県警」ではトンデモナイ事態が起きていたようで、事件現場を所管する「奈良西警察署」で発生した2022年1月の「拳銃の弾5発紛失事件」に対する「不祥事報告」の記者会見が、同日の午後に行われる予定だったのである。

当初、署員による窃盗の疑いが濃厚とされたが、弾の新旧交換時の数え間違いと判明、その「不祥事報告」を「奈良西警察署」がマスコミ関係者の前で行う日に、安倍（李）晋三が所轄の大和西大寺駅前にやって来たため、スケジュールが大混乱となった。

報告は前日だったとはいえ、突然の京都応援演説のついでに奈良へ向かう報告は、記者会見の準備に追われていた「奈良西警察署」に周到な警備計画などできるはずがなかった。

そんな状態だったため、囲まれたガードレールの背後は、道路とバス停に向かってガラ空きで、自転車に乗った老人が通り抜けても誰も気づかず、背後に目を配る者は誰もおらず、山上容疑者は約10メートルをやすやすと接近、その動きを見越していたかのように、一人の選挙関係者が安倍の背後から横へ大きく移動した結果、2・5メートルの隙間《すきま》が開いた。

そこを目掛けて2回の発射ができたのである……。

◆手製の散弾銃：

とにかく白煙が凄《すご》かったのは「第一次世界大戦」の頃の火薬と同じで、家庭用の花火に使う黒色火薬と思われ、銃や軍用の無煙火薬ではないと分かる。

おそらくガチャポン（ガチャガチャ）の丸いプラスチックケースに金属弾（パチンコ玉6個？）を詰め、火薬の爆発力で発射したのだろうが、電池着火の散弾銃と思えばシンプルなだけに距離さえ詰めれば殺傷能力が高い構造といえる。

よく分からないのは、山上容疑者の自宅マンションを捜索に入った警察が、彼の部屋から手製の「5穴散弾銃」「6穴散弾銃」を、そのまま隠しもせず持ち出したことで、これは一般人に見せてはならない殺傷兵器であり、重要証拠品である以上、最小限、段ボールに入れて持ち出すべき代物で、わざとTVカメラに〝見せている〟行為は一体何を意味していたのか？

◆(元) 統一教会の内部争い：

「銃撃事件」後、国会も、TVのワイドショーも、NEWSも、週刊誌も全て「(元) 統一教会」の合唱連呼で、まるで暗殺に手を貸したのが「(元) 統一教会」と言うがごとくで、下手をすれば「自民党」も「(元) 統一教会」の被害者ではないのか的なイメージが展開していた。

実は「(元) 統一教会」の文鮮明《ムン・ソンミョン》教祖の7男の文亨進《ムン・ヒョンジン》が、教祖の死後に分派しアメリカで「サンクチュアリ教会」を興し、銃による武装を呼び掛けるため「ガンチャーチ」の愛称で呼ばれている。

2022年6月25日、東京をスタートに「文亨進二代王帰還歓迎勝利報告大会：日本大会」で400人を集め、7月2日、大阪で行われた関西大会では、「平和軍警察」を組織すると打ち上げ、無線機やナイトスコープ（暗視装置）の購入、訓練、武装を呼び掛け、その後も日本中を講演している最中に「銃撃事件」が起きている。

事件発生後、ある捜査関係者は「山上容疑者はサンクチュアリ教会で銃器の訓練を受けていた」と語っているが、それが事実なら、「(元) 統一教会」の内部争いに山上が利用された可能性も出てくる……。

◆SPの異常行動：

2022年7月8日午前11時半頃、奈良県の近鉄大和西大寺駅前で、応援演説中の安倍（李）

晋三が手製銃で2発撃たれ、心肺停止の状態で病院に搬送されたが、午後5時3分に死亡が確認された。

犯人は（元）海上自衛隊員の山上徹也容疑者で現行犯逮捕され、大慌ての「奈良県警」は「奈良西署」に命じ異例の90人態勢で捜査本部を立ち上げた。

犯行に使われた手製のパイプ銃は、金属パイプ、木、テープ、電池、電線などを組み合わせた長さ約40センチ、高さ約20センチの模擬散弾銃で、山上の自宅マンションから同様の手製パイプ銃が数丁押収された。

銃撃後の安倍（李）晋三のカッターシャツや、倒れた路面に大量の血が流れていなかったため、「あれは選挙を有利にするヤラセ!!」「撃たれたのは安倍の影武者!!」「クライシスアクター宮本晴代がいる!!」「血糊《ちのり》のチューブが見えている!!」「耳の形が違う!!」等々、SNSでは様々な言葉が飛び交った。

これを逆手にとって、十把《じっぱ》一絡《ひとから》げに「陰謀論には気を付けましょう!!」とやるのが今のマスゴミだが、実はマスゴミが言う陰謀論に行きつく途中に、実は幾つもの不可解な真相が隠されている。

例えば、安倍（李）に空手の有段者の女性SP（ハルヨにされていた）が付いていたが、万が一の場合は、弾痕《だんこん》を押さえ、様々な初期治療ができるエリートのはずが、「医療関係者いませんか？」（選挙関係者の女性の声ともいわれる）はさすがにおかしく、どんな駅前にも何らかのクリニックがあるはずで、患者を置いて演説を聞きに医院を抜け出す医者がいるとは思えず、もし誰かが「あっしが医者でやんす」と近寄ってきたら、あのSPは緊急事態下でまずは尋問から始める気だったのだろうか？

そもそも動脈損傷の懸念も考えず、脈が弱いだけで、即行で心臓マッサージをするのは応急処置の心得ゼロのお粗末さで、逆に殺そうとしているとさえ思える。

司法解剖の結果、安倍の傷は喉《のど》下前方からの被弾で突き抜けたことと、左肩に1カ所の被弾銃創があり、死因はその弾丸が左右の鎖骨の下の動脈を損傷しそれによる失血死とし、それで血が体外に殆ど出なかったと判明する。

◆警備状況が報告されない…

警察庁によると、2022年7月8日の「安倍（李）銃撃事件」の発生時、十数人の警護員が現場にいたが、その内訳は奈良県警3人、警視庁の警護員（SP）1人の計4人で、全員、演説が行われたガードレール内側にいて、制服警察官は同じガードレール内にいなかった。

ところが、突然異変が起きる……最初は安倍（李）の後方を警戒していた県警の警護員がガードレールの外の車道側にいたが、突然、聴衆の方へ歩み寄り始めると、別の警護員の注意を受け、ガードレールの外側ではなく内側に入り、安倍（李）から遠い右側へ移動したのである。

不思議なのは、こうした警備の移動や変更をガードレールの外側で統括する現場指揮官に一切無線報告されなかったことで、これは警備のセオリー以前の問題で、むしろ最大の謎といえるレベルである。

そんな中、安倍（元）首相警備の指揮者の警備課長の姿が映像のどこにも映っておらず、指揮者不在だった可能性も出ており、だから情報伝達に混乱をきたした可能性が出てきた。

◆歴史的にも多すぎる〝もし〟……

歴史に〝もし〟はないが、もし長野の自民党公認の松山三四六《さんしろう》の女性問題が「週刊文春」で暴露されていなければ、奈良に向かうことはなかった可能性が高く、8日は京都と埼玉だったところへ、急に京都の前に奈良に行くことが7日の午後に決定し、そこに7日に岡山まで安倍を殺そうと訪れた山上容疑者が奈良に戻っていて、千載一遇と言えるホームグラウンドで待ち構えていた……。

7月8日、安倍（李）は奈良、京都、埼玉の3県の応援をするため、ANA17便のファーストクラスで羽田空港から関西の伊丹空港へ飛び、そこから奈良へと向かった。

山上徹也容疑者の自宅は、奈良市大宮町の8階建て賃貸マンション「シティホームズ大宮」（奈良市大宮町3丁目1の18）、最寄り駅は「近鉄新大宮駅」で、安倍（李）晋三が応援演説する「近鉄大和西大寺駅」の隣の駅、何と電車で3分は普通では絶対あり得ない偶然である。

◆安倍（李）降ろしが7月1日から永田町で始まっていた!!……

安倍（李）殺害直前の7月1日、永田町で安倍（李）の力を削《そ》ぐ動きが密かに始まっていた……。

「第2次安倍政権」で6年半も総理秘書官を務め、安倍（李）の腹心だった島田和久防衛事務次官が、安倍（李）晋三と弟の岸（李）信夫防衛大臣の反対を押し切り、岸田首相が退任させていたのだ。

島田和久防衛事務次官の退任と安倍（李）晋三殺害で何が変わるかというと、防衛費を5年以内に増加、核ミサイル共有、国内総生産（GDP）比2パーセントの防衛費を目的とする「日本の防衛政策」が白紙に戻ることになる。

これは、日本列島を「米日併合」でアメリカに進呈するには、自衛隊を増強して中国に奪われないようにする安倍（李）にとっての屈辱で、選挙後に最大派閥で巻き返すには、従来の「基盤的防衛力構想脱却」が不可欠で、その立役者の島田前事務次官が排除された以上、「参議院選挙」後に自分と最大派閥と弟の岸（李）防衛大臣で、岸田首相を押し切るしかない。

そうしなければ、9月上旬の「内閣改造」で体調不良で車椅子に乗る岸（李）防衛大臣が新内閣で外される可能性がある。

安倍（李）晋三が首相のときは、自衛隊TOPの統合幕僚長の上が内閣総理大臣の自分だったが、今は岸田総理大臣であり、警察庁のTOPも警察庁長官の上が安倍（李）から岸田総理へと変わっていた……その矢先だった!!

その結果、安倍派にとって致命傷となる韓国系「(元)統一教会」との関係を記した名簿、警視庁公安部の「公安ファイル」が暴露されることになる!!

法的根拠のない「国葬」に巨額の予算

自民党の常套手段で、当初の予算の何倍も掛かるプロジェクトでも、日本の有権者が与えた圧倒的議席数をもって平気で押し切ってきた。

当初の安倍（李）晋三の国葬費用10億円も、日本人の税金で捻出すると麻生太郎副総裁の鶴の一声の閣僚レベルで決まり、安倍派の黒幕の森喜朗の忖度《そんたく》で加速、1カ月もたたないうちに37億円（予想）まで跳ね上がり、2022年9月27日の本番はさらに膨れ上がるとされ、安倍（李）晋三の偉大さを日本史に刻む気でいた。

これを国と自民党が費用を折半する「内閣・自民党合同葬」なら、総額約1億9200万円で済み、その内訳は会場代が約5500万円、会場内の音響、映像、設営費用が約1億3600万円で、2021年「全国戦没者追悼式」の武道館の会場・付帯設備使用料も1200万円で済んでいる。

あの昭和天皇の「大喪の礼」でさえ24億円なのに、いとも簡単に突破してくる自民党の無茶苦茶な国葬で、韓国系「(元）統一教会」と一心同体だった安倍の死を日本人総出で嘆き悲しむ日とし、「(元）統一教会」問題がなかったら、祝日化も狙ってきただろう。

ネットでは「(元）統一教会葬にしてもらえ!!」、「自民党議員のポケットマネーでやればよろしい!!」、「死んだ安倍に使う資金があるなら、コロナや災害で困窮してる方に使え!!」、「やってほしくない国民の民意は、どうなる?」の声が溢れる中、ネトウヨ(官邸に雇われたバイトが多い)の反撃の安倍礼賛の声も溢れている。

岸田首相は安倍派の顔色を見ながら相変わらずお題目「民主主義を守る」、「国全体で敬意と弔意を示す」と語るが、「なぜ内閣自民党合同葬ではなく国葬なのか?」の問いに真摯《しんし》に向き合う気はなく、もし民主主義を守るなら、それこそ「国民投票」で決めるべきだった。

それでも2022年7月14日の岸田首相の唐突なまでの「国葬強行方針説明」では、「憲政史上最長の通算8年8カ月にわたり首相の職責を担ったこと」、「卓越したリーダーシップと実行力を示したこと」、「国内外から哀悼、追悼の意が寄せられていること」を挙げ「我が国は暴力に屈せず、民主主義を断固として守り抜く」を国葬を執り行う理由にした。

そんな中、「日刊ゲンダイ」が「(元)統一教会」と関係する国会議員112人のリストを入手、自民党議員(特に最大派閥の安倍派)が圧倒的で、衆院議員78人、参院議員20人が「(元)統一教会」の関わりが深く、野党にも立憲民主党6人、日本維新の会5人、国民民主党2人が関わり、驚くべきは自民党の内閣閣僚、党幹部経験者が34人に上ることだ。

『女性自身』(小学館)が取り上げた2000年代の歴代首相のなかで最も「がっかり」だった人は?(回答:2021年9月9日〜9月12日)の結果は以下の通り。

1位:安倍晋三(26パーセント)

2位：菅義偉（24パーセント）
3位：鳩山由紀夫（13・3パーセント）
4位：菅直人（11・3パーセント）
5位：野田佳彦（9・3パーセント）
6位：麻生太郎（8パーセント）
7位：森喜朗（7・3パーセント）
8位：小泉純一郎（3・3パーセント）
9位：福田康夫（0・7パーセント）

最大の駄目首相1位が安倍（李）晋三という結果に「国葬」が相応しいわけはなく、事実「森友学園問題」、「加計学園問題」、「桜を見る会問題」、「伊藤詩織レイプ揉み消し問題」、「黒川検事長定年延長工作問題」、「街頭応援演説ヤジ強制排除問題」等の不祥事に対する説明責任を一切果たさず、常套手段の腹痛解散でトンズラした在日だ。

ところが、法的根拠があいまいな今回のような麻生太郎の一声で決まるレベルの法治国家では、明治以降、今日まで築き上げた近代日本の名が泣くことになる。

ある意味、山上徹也容疑者は自民党の暗部ともいえる韓国系「(元)統一協会」塗《まみ》れの構造を暴いたことになり、実際、安倍（元）首相の岳父の岸信介（元）首相以来、「(元)統一協会」、「国際勝共連合」と癒着構造だったことは紛れもない事実で、それを「国葬」でチャラにしてしまうのでは余りに傲慢《ごうまん》だろう。

この状況で岸田内閣が目先を誤魔化す「内閣改造」で、国民の半分以上が反対する「国葬」を法的根拠もあいまいな状況下で強行した結果、その反発は自民党に跳ね返り始めた。

そんなとき、よりによって、その「国葬」を「(元)統一教会」絡みの「電通」が仕切るとなると、あまりにも露骨で、戦後の日本史最大の汚点になることは間違いなく、「内閣法制局」は岸田内閣の忖度《そんたく》機関に成り下がり、全く機能していないことになる。

戦前の「国葬令」は戦後の「日本国憲法」で失効したはずで、そんな法的根拠のない「国葬」を強行する麻生太郎と「清和会」の動きは、それこそ「議会制民主主義」の根幹を完全に踏みにじっている。

これは日本人の精神が在日支配の自民党によって攻撃されていると解釈すべきで、安倍(李)晋三の「国葬」を世界の要人も来るので許したら、「太平洋戦争」突入を一方的に宣言した「大本営発表」の頃と全く同じになる!!

こんな情けない有様を皇祖神が許すと高を括っていると、恐ろしい事態を招き寄せるだろう!!

第5章

令和時代のパンドラの箱が開いた

文鮮明

(元)統一教会の宗教ビジネスと日本人洗脳

1951年に施行された「宗教法人法」は、「GHQ/連合国軍最高司令官総司令部」が主導しながら戦前の「国家神道」排除の考え方に沿う形で、日本人の「宗教」「信仰」を「国家」と分離し、その一方で「国家神道」に戻らぬよう、できるだけ多くの「宗教」を「法人化」し、「国家神道」を忘れさせようと画策した。

この「宗教法人法」により「宗教団体」に認められれば、殆ど税金を払わないで済む「税制優遇」の権利が与えられた。

結果、戦前から続く「大本」「天理教」「創価学会」等の新興宗教も、戦後、雨後の竹の子のように萌《も》え出た様々な新興宗教も、政治への関与から経済への関与に主眼が向き、信者の家財産も死後は教団が没収する〝拝金主義〟が罷《まか》り通るようになる。

それがさらに加速したのが「高度経済成長」から一気に花咲く「バブル経済」の時代で、大学生が高級な背広に万札の束を入れて女性とクルーザーで毎夜楽しみ、タクシーに乗るのも万札を振らないと止まってくれない狂乱の時代、宗教団体も臆面《おくめん》もなく〝拝金主義〟に加速していった。

税金を殆ど払わないで済むため、廃寺などで使われなくなった「宗教法人株」は「ゴルフ会員権」並みに高値で売り買いされ、企業にとって絶好の隠し財産、節税対策、脱税の温床と化し、アメリカニズムに汚染された経済大国化の日本で、宗教という宗教が一気に腐っていった。

そのアメリカンウェーブを利用し、自民党の岸（李）信介（元）首相とタッグを組んだのが半島系の「(元）統一教会」で、戦後、占領軍最高司令官のダグラス・マッカーサーが、白人支配体制に二度と逆らわないよう、「ＧＨＱ」の下部組織「ＣＩＥ（Civil Information and Educational Section）／民間情報教育局」に創らせたのが、日本人洗脳プログラム「ＷＧＩＰ／War Guilt Information Program（戦争罪悪感プログラム）」とタイアップする。

「ＷＧＩＰ」には、アメリカが去った後「在日朝鮮民族」が「日本人」を支配する「在日特権」「在日就職枠」「特別永住権」が仕組まれ、韓国にも日本人に「太平洋戦争」の罪悪感を与え続ければ、同胞が支配する自民党を介し韓国を永久に援助させるシステムを残した。

それと「(元）統一教会」の日本伝道方針の「朝鮮民族に迷惑をかけた日本人は韓国に莫大《ばくだい》な金銭で償わないと家族は地獄に落ちる!!」のメッセージが合致、「アメリカ大使館（極東ＣＩＡ本部）」にとって「(元）統一教会」は日本人洗脳の強力なツールとなった。

アメリカの傀儡《かいらい》政党（自民党）と「(元）統一教会」を使うアメリカの〝ステルス支配〟が完成するのが「米ソ冷戦時代」で、「(元）統一教会」が立ち上げる対ソ連への「国際勝共連合」に、殆どの自民党国会議員と自民党地方議員が所属、右翼最大のドンの笹川良一も「私は文鮮明の犬である!!」と「(元）統一教会」を持ち上げ、日の丸と日本国歌をカモフラージュに全国展開する。

その延長が今の「日本会議」で、真の日本人の集団なら「日本〜」と付ける必要はなく、そこに「末日聖徒イエス・キリスト教会（モルモン教会）」のケント・ギルバートも参戦している。

実際、ケント・ギルバートは「日本会議」に所属してから、方向性が逆になっているように思える。

これでアメリカが文鮮明の「(元) 統一教会」と、池田大作が「モルモン教会」をコピーして興した「創価学会」を「公明党」にして、「日本・韓国・台湾」の〝防共ネットワーク〟を構築、「ベトナム戦争」を全面サポートさせた。

旧ソ連崩壊で冷戦が終結すると、「(元) 統一教会」は日本で〝宗教ビジネス〟を一気に推し進め、万《よろず》の神国ニッポンを宗教マネー量産の「ATM」とした!!

韓国も同胞が支配する「自民党」と足並みを揃え、アメリカも「植民地税」を毎年の「米国債」として日本から吸い上げ、日本が米国債を売ることを禁止するため、実質、合法的強奪と同じで、それに逆らったのが橋本龍太郎（元）首相だった。

1997年6月23日、アメリカのクリントン政権下で、拡大する日本の対米貿易黒字に対し、絶えず「円高誘導カード」を不当に用いていた為、当時の橋本龍太郎首相は「コロンビア大学」の講演のあとの質疑応答で、「米国債を売りたい衝動に駆られることがある」とジョーク交じりにコメントした直後、NYダウが192ドルも一気に下落、1987年の「ブラックマンデー」以来の大幅な下げとなった!!

これは、1985年の「プラザ合意」以降の急激な円高ドル安（260円から85円へ）が進む中での正当な発言だが、その後、アメリカから「もし売るようなことがあればアメリカへの宣戦布告とみなす!!」と脅され、その後、2006年、橋本龍太郎は不可解な死を遂げる。

何故、不可解かというと、その死亡原因が「腸の病気」以外、いまだに詳細に報道されていないためで、今も自民党ではアメリカに逆らうとこうなるの「見せしめ」になっている!!

日本のマネーで成り立つ韓国経済、なぜ言いなりのまま？

戦後、韓国は「アメリカ大使館（極東CIA本部）」が設立した「KCIA」と共に、首尾一貫した「反日教育」を実践、アメリカも「(元）統一教会」とタッグを組み全ての責任を自虐趣味の日本人に転嫁する戦術を展開していった。

朴正熙《パクチョンヒ》は、「漢江（ハンガン）の奇跡」を行った韓国の英雄として語られるが、1965年に岸（李）信介の弟の佐藤（李）栄作首相の日韓で交わした「日韓基本条約」に基づき、1966年～75年の間、「アメリカ大使館（極東CIA本部）」が日本に造った傀儡《かいらい》の「自民党」を通して5億ドル（当時1ドル＝360円）の「対日請求権資金（実質的な戦後賠償）」で成し遂げさせた。

その内訳は無償金3億ドル、有償金2億ドル、民間借款3億ドル以上、現在価格で4兆5千億円以上の金額を、日本人が韓国人に申し訳ない意味で支払う実質的賠償金とした。

そもそも「日韓併合」で連合国軍と一緒に戦ったはずの韓国に対し、日本人が賠償すること自体、欧米先進国では絶対あり得ない〝歴史的ジョーク〟だが、マッカーサーの置き土産「WGIP／戦争罪悪感プログラム」で日本人の〝自虐趣味〟を永久に持続させる幸先のいいスタートとなる。

韓国の当時の国家予算は3億5千万ドルで、日本人の血と汗の税金で奇跡の工業化を成し遂げるが、それはアメリカから韓国へのご褒美だった。

当時の「国際協力銀行」は、60年半ば〜90年代までに、6000億円の円借款が行われ、韓国は日本人のカネと、日本人の技術を受けたことで、「京釜《キョンブ》高速道路」等のインフラ工事や「浦項《ポハン》総合製鉄」「昭陽江《ソンヤンガン》多目的ダム」を濡れ手に粟で建設する。

これを「漢江《ハンガン》の奇跡」といい、韓国は「日本の協力などなくても、朝鮮戦争後の急激な経済成長を韓国独力で達成したニダ!!」と宣言する。

1988年、「ソウルオリンピック」を前に韓国経済は1ドル1500ウォンまで暴落して破綻、「IMF／国際通貨基金」が強制介入する羽目に陥るが、韓国のマスコミは「韓日財政政策協議強化」「域内基金早期設立一致」と一方的に報道、800億ドル規模の「AMF／アジア通貨基金」が韓国を支援するとまで勝手に発表した。

「ＡＭＦ」は日本人が汗水流して働いた資金だが、金泳三《キムヨンサム》大統領は、「韓国がこうなったのは全て日本（日本人）のせいニダ!!」と捲《まく》し立てると、それに呼応したように「自民党」が国民の税金30億ドルの緊急支援を韓国に差し出し、さらに「日韓基本条約」を駆使して、有償で２億ドル（当時の７２０億円）と無償で３億ドル、民間でも３億ドルを韓国に献上する。

当時、韓国は「ＩＭＦ」から５００億ドルの借金し、急いで「自民党」が１００億ドルを融資したが、ウォンの暴落は止まらず、最後の最後に日本の「日銀」が韓国のために資金を放出した結果、韓国は首の皮一枚で救われたが、「日本の援助など最初から必要なく、韓国だけでやってのけたニダ!!」と宣言、日本人の自虐趣味をさらに加速させることに成功する。

２００１年9月11日、アメリカ同時多発テロの頃、韓国経済は再々致命的大失速を演じ、日韓共同開催の「ワールドカップ」の韓国側のスタジアム建設も滞る事態に陥ったが、あわてた「自民党」が、再び日本人の税金30億ドルの財政融資を韓国に差し出した結果、韓国経済は濡《ぬ》れ手で粟《あわ》の「Ｖ字回復」を達成、「日韓ワールドカップ」の標語を、ＡＢＣ順を逆手に取って、この時だけ「Ｋｏｒｅａ」を「Ｃｏｒｅａ」に変更し「韓日ワールドカップ」に変更させた。

それを自虐的に受け入れる「日本サッカー協会」に対し「大韓サッカー協会」は腹を抱えて笑い転げたという。

２０１０年、「日韓併合百周年」を迎える際、味を占めた韓国は、日本に対し外交的優位に立つため、天皇陛下を訪韓させ、韓国人に対して心からの謝罪（土下座外交）を求める運動を過熱させ始める。

その結果、２０１２年８月10日の李明博《イ・ミョンバク》大統領の竹島不法上陸を切っ掛けに、無能な日本人に対し韓国は一気に攻勢をかけてくる。

８月14日、「日本の天皇が韓国訪問を希望していると聞くが、独立運動で亡くなった方に謝罪する用意があるなら訪韓してもよいニダ!!」と上から目線で述べた。

さすがに天皇発言には日本人もブチ切れ、韓国に一方的有利な「日韓通貨スワップ」を当時の与党だった民主党が減額した。

「日韓通貨スワップ」は、２００５年に自民党政権下で生まれ、「日本銀行」と「韓国銀行」の各中央銀行が相互融通し合う通貨システムで、日韓双方の金融市場安定のため金融協力を強化する目的だが、実際は日本が韓国を一方的に救う「ＡＴＭ」と化していた。

結果的に韓国が求める額面通りの青天井と化し、それが如実に表れたのが、２００８年12月に起きた「リーマン・ショック」で、韓国の「外貨流動性問題（韓国通貨危機）」は危機的状態に陥り、その韓国を救うため、当時の麻生内閣は引出限度額を30億ドルから一気に２００億ドル相当に増額したのである。

それだけではない、２０１１年10月、今度は民主党が「欧州金融市場不安定化」の影響を受けた韓国を救うため、一度戻った引出限度額を再び30億ドルから３００億ドルに増額した。

その直後に起きたのが、日本を甘く見た李明博の天皇土下座発言で、さすがの民主党も2012年10月に引出限度額を300億ドルから30億ドルに戻したが、そこで韓国は、このままでは外資が逃げ、韓国経済が崩壊しかねないと恐怖し、韓国の言いなりになる自民党に擂《す》り寄りはじめ、「日韓通貨スワップ」増額を了承した（前）麻生総理を国賓並みに迎えたのである。

2015年、自民党は（当時）岸田外相を韓国と交渉させ「元従軍慰安婦」を支援する10億円を支払ったが、文在寅《ムン・ジェイン》政権に引っ繰り返され、新たに「徴用工問題」での賠償金を命じる最高裁判決が出され、韓国に日本人は半島に母国を持つ自民党を通して舐《な》め切られている。

それでも何故自民党が韓国の言いなりになるかというと、「アメリカ大使館（極東CIA本部）」がそれを命じるからで、本音ではいつも韓国を日本人の税金で救いたい自民党と、日本人からカネを毟《むし》り取りたい日韓双方にとり、結果的に嫌韓の象徴的存在になった安倍（李）晋三が消えたため、ナンシー・ペロシ米下院議長も、アメリカではなく「日韓通貨スワップ」で「日米韓和合」がしやすくなり、天皇徳仁《なるひと》陛下を韓国に「日韓未来志向」の象徴の「国賓《こくひん》」として招待させ、途中のボーイング機の墜落事故で暗殺しやすくなった!!

日本は、アメリカと韓国の奴隷か

何度も言うが「令和」は人類最後の天皇陛下の年号で、全ての悪行が暴走して止まらなくなることから自己崩壊する「黙示録の時代」である。

2021年9月12日、韓国で開かれた「(元)統一教会」のフロント組織「UPF(天宙平和連合)」主催の「神統一韓国のためのTHINK TANK 2022希望前進大会」に、安倍(李)晋三が堂々とビデオ登壇し、「韓鶴子《ハン・ハクチャ》総裁をはじめ、皆様に敬意を表します!!」と「(元)統一教会」を祝福した。

前々から噂されてきた、安倍(李)晋三と朝鮮半島のかかわりを、もう隠す必要もなくなった自信は、細田派から自民党最大派閥を移譲され、実質、自民党内はもちろん、国会で何でも通せることが決定したからで、事実、同年11月8日、新衆院議長に自民党最大派閥で、「(元)統一教会」と二人三脚だった細田博之(元)幹事長が内定、11月11日、細田派が自民党本部で総会を開き安倍(李)晋三の新会長就任を正式決定していた。

この「(元)統一教会」への安倍の「ビデオメッセージ」を見た山上徹也容疑者が、「(元)統一教会」と一心同体の安倍を殺すしかないと暗殺の決意を固めたと供述している。

疑惑と犯罪の総合デパートの安倍(李)晋三を、国民の税金35億円をかけて「日本武道館」で「国葬」したいのが、自民党の最大勢力の安倍派の力を得たい岸田首相で、国賊は国賊を選ぶように「(元)統一教会」絡みで在日系国会議員が次々と集合している。

2022年8月12日、「(元)統一教会」は韓国ソウルで、関連団体UPFのイベント『Summit 2022 & Leadership Conference』を開催、そこで日本の国王の安倍(李)晋三を追悼し献花する「献花式」を行った。

そこに、アメリカのトランプ大統領も「ビデオメッセージ」を送った理由は簡単明瞭《めいりょう》、日本人を在日自民党の支配で奴隷化する「WGIP／戦争罪悪感プログラム」の推進に、「(元)統一教会」が欠かせないからで、だからトランプ大統領は安倍(李)晋三と仲が良かったことが見えてくる。

安倍(李)晋三の映像が巨大スクリーンに映し出され、献花式を執り行う様子こそ、「(元)統一教会」と安倍(李)晋三がズブズブだった証拠で、もう安倍(李)晋三は韓国の「(元)統一教会」で〝世界葬〟をしたため、日本の国葬はもはや不要だったはずである。

「時事通信」の8月の世論調査で、安倍(李)晋三首相の「国葬」反対は47・33パーセント、賛成は30・5パーセントで、学識者、記者、市民らの「JCJ／日本ジャーナリスト会議」は、麻生太郎副大臣の鶴の一声で決行される戦前の遺物「国葬」の決行に全メディアは明確に反対の声明文を出した。

同時に「神奈川県弁護士会」は実施反対の会長声明を発表、法的根拠が全くなく、実施は「法治主義国家」としての基幹的法理たる「法律による行政の原理」に抵触すると指摘、「憲法」で看過できない問題と批判した。

その法的根拠として、岸田首相や内閣法制局が、「内閣府設置法」を根拠に国葬を実施可能としたことについて「内閣府設置法」は自民党の組織規範に過ぎず、何の根拠にも該当しない

と切って捨て「憲法違反」に当たると断言した
止《とど》めとして、2022年8月12日、市民団体のメンバー50人が国に対し、国葬実施の閣議決定取り消しと、関連予算の執行差し止めを求め「横浜地裁」に提訴、併せて同様の仮処分も同地裁に申し立てた。

訴状には「国葬は安倍元首相を公権力によって一方的に崇めさせる行為で、思想と良心の自由を保障する憲法19条に違反する」とし、政府が財源として2022年度予算の予備費を使う行為は「国会」の事前の承認なしに充当することは「財政民主主義」の理念にも反するとした。

だが、在日国会議員の巣窟《そうくつ》「自民党」は、自分たちの国王（安倍（李）晋三）の葬儀を、奴隷化した日本人の税金で施行する行為にこそ意義があり、何が何でも最大議席数で押し切ってしまえば、奴隷は文句を言わなくなると知っている。

それを望むのが韓国と一緒に「WGIP」を継続する「アメリカ大使館（極東CIA本部）」で、この強力な支配構造に立ち向かうほどの力は、今のヘタレ日本人にはないことを彼らは十二分に分かっている。

それに、日本には正常な「三権分立」などはどこにもなく、日本には「ワシントン↓アメリカ大使館↓韓国（在日コリアン）↓奴隷（日本人）」の上意下達《じょういかたつ》の「ヒエラルキー」しか存在せず、逆らえば「警察」が一気に鎮圧し、「検察」と「裁判所」がテロ宣言と冤罪《えんざい》を連発してでも主犯たちを一掃して終わるだけである。

なぜなら「警察庁長官」も「検察庁検事総長」も在日しかなれず、アメリカの下部組織と化しているからで、後は、天皇陛下を合法的に暗殺し、皇位継承権第一位の秋篠宮が健康上の理由で辞退した後、息子が成人になる間、臨時天皇として在日の小室（kim）圭と入れ替えればチェックメイトとなる。

その前に、自民党は「アメリカ大使館（極東ＣＩＡ本部）」の命令で、アメリカに代わって韓国救援の「日韓通貨スワップ再開」と「ホワイト国復帰」を最大議席数で押し切ろうとするが……果たして？

徳仁陛下は最後の天皇

安倍（李）晋三の路上射殺で「(元) 統一教会」絡みの自民党の姿が次々明らかになるが、それはまだ氷山の一角に過ぎず、自民党国会議員の半数以上が在日議員で占められ、韓国籍のままで国会議員になっているコリアンもいる。

それでも自民党が平気なのは、２０２２年の「参議院選」で大勝したからで、知らぬ、存ぜぬ、以後気をつけます、秘書の仕業で押し切れば、いつものように国民は忘れると高を括っている。

それでも岸田首相は「(元) 統一教会」でミソが付いたため、１カ月前倒しで「(元) 統一教会」と関わる閣僚を総入れ替えする「第2次岸田改造内閣」を2022年8月10日に発足させたが、新しい閣僚と政務官54人中、「(元)統一教会」と関わる副大臣が10人、政務官が11人の計21人もが即座に確認され、以後もその数が増えていった。

安倍(李)晋三と二人三脚だった高市早苗経済安全保障担当大臣は、安倍の写真を胸に入閣、小池百合子東京都知事の「緑の狸」に対する「赤い狐」の通り、自分の対談が掲載された月刊誌『ビューポイント』が(元)統一教会と全く知らなかったで煙《けむ》に巻いている。

出版社相手に「貴方が何者か知らなかった、ゴメンね」の狐の化かしは通用せず、そもそも政治家が素性の分からない月刊誌で対談するはずがなく、逆に掲載する出版社を選ぶのが政治家の常識で、自民党右派論壇の高市が(元)統一教会の『ビューポイント』を知らなかったはずがない。

逆に雑誌の素性を知らなかった方が、高市大臣の危機管理能力がゼロとなり、こんな議員を国政に携わらせるべきではない。

同様に、山田美樹環境副大臣は、2022年6月の(元)統一教会「日本・世界平和議員連合懇談会総会」に出席した出来立てホヤホヤ疑惑議員で、(元)統一教会が招待する以上は相当に深い関係が示唆され、柳本顕環境政務官も2017年以降、(元)統一教会と関わる3件の大型イベントに参加するズブズブの関係と暴露された。

小林茂樹環境副大臣に至っては、判明しているだけで2019~2021年の3年間、(元)

統一教会の自転車イベントの関連団体「ピースロード」の実行委員長まで務める深い間柄だ。

経産省の中谷真一副大臣も（元）統一教会絡みの議員で、本人曰く「自己点検をしたところ、その団体が協賛するイベントに出席し挨拶したということが分かりました」は無責任も極まる詭弁《きべん》で、自己点検しないと分からなかったは120パーセント大嘘である。

葉梨康弘法務大臣は、2008年頃に（元）統一教会系の雑誌『世界日報』の月刊『ビューポイント』でインタビュー記事を載せている。

韓国で開催された（元）統一教会創始者の「文鮮明死後10年記念大規模イベント」に、来賓挨拶として（現）自民党政調会長の萩生田光一衆議院議員が参加、ズブズブを越えた一体化が垣間見え、2009〜2012年までだけでも、月1、2回のペースで八王子市内の（元）統一教会を訪問し演説をしただけでなく、信者としか言えない「礼拝」も兼ねる「日曜日バーベキュー大会」に参加していた。

その萩生田政調会長が参加した「文鮮明死後10年記念大規模イベント」に、アメリカのトランプ政権のポンペオ（前）国務長官も参列、北朝鮮の金正恩総書記からの祝福のメッセージまでが寄せられた。

「民族の和解と団結、国の統一と世界平和のために尽くした文鮮明先生の努力と功績は永遠に記憶されることでしょう!!」

この出来事で何が垣間見えるかというと、今の日本人には想像もつかないだろうが、アメリカが北朝鮮に韓国を睨《にら》ませ、韓国に日本を睨ませ、日本に北朝鮮を睨ませる「三竦《さんすく》み」で極東を安定させ、北朝鮮による拉致《らち》もアメリカの許可がなければ絶対に起こり得なかったということだ。

その要がアメリカによる朝鮮民族による極東支配構造で、その資本は日本人の血税で賄い、アメリカも毎年植民地税として日本から「米国債」の名目で血税を吸い上げ、日本が保有する金塊の大半もアメリカが保管の名目で略奪している。

要は、北朝鮮も韓国も日本も裏でアメリカがコントロールする出来レースになっていて、北朝鮮がミサイルを撃てばアメリカの迎撃ミサイルシステムが売れるのが協力関係の典型である。

終戦後の「ＧＨＱ」による「ＷＧＩＰ／戦争罪悪感プログラム」推進のために、文鮮明の「(元)統一教会」は非常に有効で、特に「日本人が朝鮮民族にやった罪悪を寄付で返さなければ子孫を含めて地獄に落ちる」思想が「ＷＧＩＰ」と完全にマッチし、李氏朝鮮の残党で自民党の岸(李)信介首相と自民党絡みで一体化することが重要だった。

だからアメリカは、アイゼンハワーの頃から日米での重要な「基本条約」は全て在日(岸(李)信介・佐藤(李)栄作・小泉(朴)純一郎・安倍(李)晋三)の首相としか結ばず、「在日特権」「在日就職枠」「特別永住権」をフルに使い、日本の大企業やマスコミにはもちろん、大学、芸能事務所、さらに霞が関官僚や政界にも在日を雪崩《なだれ》れ込ませた。

各省庁にも在日が次々と無試験で入り、特に「アメリカ大使館(極東ＣＩＡ本部)」が徹底したのは、在日シンジケートを駆使して省内で出世させ、上層部が在日だらけになると、今度は〝天下り〟と称して日本の大企業の重役に収まる特権階級の道を用意したことだ。

大企業にとれば、霞が関とのパイプ役が必要で、結果として在日官僚が好待遇で大企業の幹部に収まる仕組みが出来上がり、2011年3月11日の「福島第一原発事故」で責任（刑事事件）を追及される「東電」の幹部たちが家族ごとアメリカが受け入れたのは「WGIP」があるからだ。

何も知らないのは日本人だけで、人がいいのもここまでくるともはや間抜けというしかない。

そんな中、新人の自民党国会議員も「(元)統一教会」に汚染されていることが判明、2022年7月の「参議院選挙」で東京選挙区から出馬して初当選した(元)おニャン子クラブの生稲晃子は、選挙中、前述の萩生田光一衆議院議員と一緒に(元)統一教会の関連施設を訪ね支援を要請していた。

「今後は一線を画すと決めた」で萩生田はチャラにするつもりだが、この一連の大きな流れの次の段階は、自民党の国会議員は本当の日本人なのかどうかを徹底的に調査しなければならないことだ!!

国会議員にプライバシー保護法は適用せず、防衛上国会議員の出自は最小限必要のため、調査事務所のプロ中のプロか、第三者機関に与野党全員を調査させる必要があり、あるいは「警察庁」が保管する戦前の「戸籍謄本」「除籍謄本」を表に出せば簡単に分かることである!!

最後の天皇となる徳仁《なるひと》陛下が京都に帰還した後、ユダヤのレガリアを担いで「出JAPAN」を行う際、燔祭《はんさい》を含むレビの家系（各々違う姓）によって、定められた幾つものレガリアを家系別に運ぶため、京都を中心に川原者《かわら》（カバラ者）とされた「穢多《えた》」「非人《ひにん》」の部落出身者を神原者《かわら》として陛下の元に集合させねばならないため、1970年代中頃から「警察庁」が回収封印した戦前の「戸籍謄本」「除籍謄本」を開放することになるが、そのとき、誰が在日かが全て判明する!!

令和のパンドラの箱は開き、旧支配者は一掃か!?

「アメリカ大使館（極東CIA本部）」と「自民党」によって勢力を拡大した「(元) 統一教会」は、日本の信者と企業からの莫大な寄付金で、清平《チョンピョン》湖の山腹に西洋風の宮殿を模した巨大構造物「天地鮮鶴苑」が建設中である。

この山麓《さんろく》一帯、500万坪の広大な私有地は、教団の信者らが世界中から集まる聖地で「天一国」の独立王国を称し、日本の哀れな信者たちは、ここを訪れるのが生涯最大の願いとされる。

安倍（李）晋三が深く関わった「(元) 統一教会」の「統一教」に、日本人に対し「植民地支配の償いを強制する教理」と金集めが記され、文鮮明の〝恨《ハン》〟を晴らすには、「エバ国家日本をアダム国家韓国の植民地にすること!!」「天皇を自分（文鮮明）にひれ伏させること!!」としている。

「(元）統一教会」の教典「原理講論」の韓国版には「日本はサタン（悪魔）の国!!」と明記され、文鮮明教祖はイエス・キリストの再来とされ、日本支部会長扮《ふん》する天皇陛下が文教祖一家にひざまずく儀式を今も行っている。

「WGIP／戦争罪悪感プログラム」を創ったダグラス・マッカーサーはNHKを筆頭に日本を救った英雄とされ、白人に逆らった償いを永久に果たすことで自己消滅するよう仕掛けた男である。

日本人は在日自民党に搾取され、アメリカに洗脳されることで勤勉に働いた成果が奪い尽くされ、韓国と（元）統一教会とアメリカの格好のマーケットにされている!!

そんな最中、結果的にこの歪《ゆが》んだ仕組みが表沙汰《おもてざた》になるため、安倍（李）晋三が山上容疑者によって銃撃されたのなら、CIAも予測していなかったことになる!!

２０１２年9月、教祖の文鮮明が死去した後、２０１５年7月、第二次安倍内閣で「(元）統一教会」とベッタリの安倍派幹部の下村博文科大臣が、「(元）統一教会」の霊感商法や超高額寄付などで問題化する前に名称変更をさせた疑惑が今になって急浮上、名称変更に関わる経緯が記された文化庁の開示資料では、名称変更の理由が黒く塗りつぶされ、「(元）統一教会」から添付された書面も一面真っ黒だった。

自民党は絶対に開示したくないため、最悪は公文書を書き換える危険性もあり、事実、安倍（李）晋三の威光を示して「森友学園」の土地所有で便宜を図った証拠となる、籠池泰典前理事長とのやりとり、安倍昭恵夫人と複数の自民党国会議員の名前を記した財務省の公文書の14カ所を書き換えるというトンデモナイ真似を仕出かした。

自民党の忖度《そんたく》で財務省から決裁文書の改ざんを命じられたのが「近畿財務局」の元職員の赤木俊夫職員で、結局、追いつめられて自殺している。

安倍（李）晋三を支えていたのが「(元）統一教会」と「日本会議」で、この構造は基本的に「李氏朝鮮＋韓国＋在日」の「三位一体」で、背後で東京の「アメリカ大使館（極東CIA本部)」が動かしていたことになる。

この〝安倍一強〟を支えたのは、政治団体「日本会議」と宗教法人＆政治団体を使い分ける「(元）統一教会」で、朝鮮民族の結束を図る「岩盤保守」に今もガッチリ収まっている。

既に暴露されているように、「(元）統一教会」は莫大な寄付による「宗教マネー」を「政治資金」にし、「信者」を「選挙運動員」から「票」へとロンダリングして、日本の地方政治家から国会議員にまで韓国系が深く食い込んでいる。

自民党がなぜ安倍（李）晋三を「国葬」にしたいのかの理由は、今や自民党が在日の巣窟で、さらに「国葬」がTV放送され、世界中の政治家が安倍を「立派な政治家だった」「悲劇の宰相である」と認める発言を見せ付ければ、(元）統一教会事件を封印できるからだ。

それは公明党も全く同じで、「(元)統一教会」への国民的排除への余波で、憲法の〝政教分離違反〟が再燃しかねないため、何が何でも「国葬」を押し切ってもらわねば困る台所事情があった。

自殺した赤木俊夫職員の妻は、安倍(李)首相と二人三脚だった麻生太郎財務大臣の鶴の一声で、「国葬」が決定してしまう自民党の遣りたい放題に対し以下のように発言する。

「黒い疑惑のまま安倍さんが国葬されてしまうと、まるで良いことしかしていないようなそういうイメージを抱くと思うんですね。でもそうじゃないんです。夫の死に関わることです。(安倍)昭恵さんは絶対に知っていることを私に伝えるべきだと思います」

が、在日自民党はもみ消しに必死で全てチャラにする気だが、もはや「令和のパンドラの箱」は開いてしまった以上、在日自民党も(元)統一教会も日本会議も最後は呑み込まれることになる!!

在日シンジケートに公安が宣戦布告した

元経産官僚で慶大大学院教授の岸博幸は、岸田首相の「内閣改造トンズラ計画」は完全に失敗、閣僚と政務官らは取り敢えず関係ありませんと言って入閣、バレなかったらラッキー程度にしか考えていないと指摘する。

韓国の出先機関のＮＨＫなどは、〝政治家の方々はお忙しく、僅《わず》かな寄付金で「(元) 統一教会」と関わりがあると指摘されて大変お気の毒です〟の姿勢が見え見えで、その寄付金と選挙応援は前菜に過ぎず、その次にメインの「(元) 統一教会と一体化」「隠れ (元) 統一教会信者」「在日国会 (主に自民党) 議員」のドス黒い闇がある!!

何故そんな真似が国政の場で可能なのかは、終戦後のダグラス・マッカーサーの「ＧＨＱ／連合国軍最高司令官総司令部」と「ＣＩＥ (Civil Information and Educational Section)／民間情報教育局」が創った日本人洗脳プログラム「ＷＧＩＰ／War Guilt Information Program (戦争罪悪感プログラム)」の存在があるからだ。

「ＷＧＩＰ」の根幹は、在日朝鮮人を「在日特権」「在日就職枠」「特別永住権」で日本の重要な要に送り込み、韓国の (当時) 李承晩《り・しょうばん》大統領と組みながら、日本人を徹底的に罪悪感に貶《おとし》める政策を共有したからだ。

自民党はアメリカが創った傀儡《かいらい》政権で、在日の安倍 (李) 晋三の岳父の岸 (李) 信介が、首相時代に「アメリカ大使館 (極東ＣＩＡ本部)」の仲介で「(元) 統一教会」と一体化を密約、岸と同じく本当はA級戦犯だった右翼のドンの笹川良一も、「ＧＨＱ」に裁判と絞首刑から助けられた恩返しで「(元) 統一教会」の外部団体だった「国際勝共連合」を日本中に根付かせ、自民党の国会議員から地方議員まで韓国系「(元) 統一教会」の傘下に置いた。

その後も日本名にロンダリングした在日が、日本人に化けて「(元) 統一教会」の全面支援を受け、日本人有権者の票を次々と勝ち取り、今や自民党の中枢を支配している。

これは「自民党」が「(元) 統一教会」と〝連立政権〞を組んでいたことを表し、今の一心同体を切り離すことは全く不可能である。

やれることは〝偽装離婚〞で国民を騙すしか手がない!!

自民党最大派閥を継承した安倍（李）は、「第三期安倍政権」を樹立するため、「アメリカ大使館（極東ＣＩＡ本部）」のエマニュエル駐日大使と協力し、天皇徳仁《なるひと》陛下を韓国の「国賓《こくひん》」としてボーイング機に乗せて送り出し、途中の飛行機事故で排除して小室（kim）圭と入れ替え、自分は実質的日本国王になった後、アメリカと日本を併合、自分は特別州の支配者となり、韓国と日本と北朝鮮を統一する陰謀を持っていた。

その安倍（李）晋三が２０２２年７月８日、奈良県の「大和西大寺駅」で銃撃された結果、疑惑犯罪の宝庫の安倍（李）の尻拭いが岸田首相に「国葬」を含め伸《の》し掛かってきたのであろう。

安倍（李）晋三を書いた本『総理』を著した元ＴＢＳワシントン支局長でジャーナリストだった山口敬之《のりゆき》は、安倍シンパと同族だけを集めた〝アベトモ〞の一人だった。

２０１６年、山口敬之がジャーナリストの伊藤詩織をレイプし、準強姦罪（刑事事件）容疑で空港に到着した直後に逮捕するはずだったが、寸前で（当時）警視庁刑事部長の中村格《いたる》が逮捕状の執行停止を決裁、総理からの忖度《そんたく》を自己判断で決行する。

そのご褒美に、中村はホップ、ステップ、ジャンプで瞬く間に警察のTOPの警察庁長官に上り詰めたが、その直後ともいえる翌年、奈良市で中村の親分の「安倍銃撃事件」が発生、ショックを受けた中村は数日間執務室から出てこなくなった。

警備で大失態を犯した以上、最高責任者の中村の退任は「引責辞任」になる必要があるが、中々グズグズしてハッキリしなかった……この微妙なカオス状態で中村の配下のはずの「警視庁公安部」が反乱を起こし、過去の長期にわたって調べ上げた「公安ファイル」を世間に公開した!!

そこには2万6千人に及ぶ「(元)統一教会」の関係者の名前が並び、職歴、勤務先、教団内の地位が細かく記載されているばかりか、「(元)統一教会」と関わる自民党議員の名前や証拠が数多く載っていた以上、法治国家を腐らせる「在日シンジケート」に公安警察が「宣戦布告」をしたともいえる!!

アメリカ支配を突き崩そうとする官僚もいる

「警視庁公安部(公安)」は、「(元)統一教会」を法治国家を脅かすカルトと定め、監視を徹底し詳細なリストを作成していたが、その「公安」が「(元)統一教会」をターゲットに本格的に宣戦布告したのは1993年5月と思われる。

「公安」と「(元)統一教会」の緊張関係が高まる中、当時の警察庁の菅沼清高警備局長は、居並ぶ全国の都道府県警の警察本部長を前に「統一教会、勝共連合、及び統一教会と連携する団体は、必ず大きな社会問題になる」と断言した!!

既に「(元)統一教会」は1971年に日本に設立した「幸世物産」を拠点に、原価が低価格の印鑑や石塔を詐欺まがいの高価格で売る〝霊感商法〟を展開し、問題化すると「幸世商事」から「ハッピーワールド」を分離、1980年代後半にはさらに霊感商法を加速、大きな社会問題を起こしている。

ところが、自民党中枢の国会議員を楯《たて》に反共思想の「国際勝共連合」を立ち上げ、保守系に深く食い込んでいたため、公安も中々手が出せない状況が続いていた。

1990年4月、文鮮明はロシアを訪問、当時のゴルバチョフ大統領と会談したことで、「国際勝共連合」の創始者で強烈な反共主義者の文鮮明の豹変《ひょうへん》ぶりに、公安は文鮮明を危険人物と見なすようになる。

1991年11月末~12月、文鮮明は北朝鮮も訪問し、金日成主席と会談して豆満江《とまんこう》流域の経済開放地域への直接投資と、合弁による金剛山の観光開発などの経済利権を獲得し、この北朝鮮訪問の成功で、1992年以降、文鮮明の故郷の北朝鮮北部の定州への日本人信者の「聖地巡礼ツアー」が可能となった。

1992年3月、アメリカで脱税問題を起こした文鮮明の日本入国が認められなかったが、自民党（当時）副総裁の金丸信の法務省への「(元）統一教会」擁護の露骨なまでの圧力で入国、そのまま金丸は文鮮明の手引きで1990年9月に「北朝鮮訪問団団長」として訪朝、それ以降、文鮮明の手下として北朝鮮ロビイストとして活躍する。

突然来日した文鮮明に公安は「(元）統一教会」への監視体制を一気に強化、「(元）統一教会は南北統一の際に日本国内を混乱させようと画策、さらにアジア地域におけるアメリカ、ロシアへの発言力を高めようと、対日工作のテコ入れを推し進めている」と警戒心を高めていく。

1992年8月、政界のドンの金丸に「東京佐川急便ヤミ献金」が発覚し、翌年3月に脱税で「東京地検特捜部」に逮捕されたことで、警視庁刑事部が同年7月、東京渋谷の「国際勝共連合本部」を公職選挙法違反容疑で家宅捜査した。

そこでいよいよ公安が本格的に「(元）統一教会」を攻めようとする寸前、突然、「オウム真理教」が登場して巨大化、様々な問題を起こし始めた結果、公安は「オウム真理教」にシフトせざるを得なくなる。

「オウム真理教」は、1987年に宗教法人化したカルトだったが、スタート時点の中枢は「(元）統一教会」が派遣した（オウム側は脱会者としている）元自衛官を含む10人の中核メンバーで、「(元）統一教会」のビジネスシステムを麻原彰晃に持ち込んだ。

謎なのは、この脱会した「(元）統一教会」の信者たちは、1991年、全員が時期を同じくして「オウム真理教」から姿を消している……。

この頃、「(元）統一教会」の日本支部は、霊感商法で得た月額20億円の資金を韓国に送金、１９８３年時点で総額２０００億円にも達した。

常識的に霞が関の各省庁の官僚の多くは日本人だが、警視庁、警察庁のＴＯＰは各省庁と同じ在日しかなれず、日本人はＮｏ－２までである。

そういうアメリカの体制に不満を持つ者や、一矢を報いたいと考える官僚は１人や２人ではなく、その典型が「日本航空１２３便墜落」である。

１９８５年（昭和60年）８月12日、日本航空１２３便（ボーイング式７４７ＳＲ－１００型ＪＡ８１１９）が、東京の羽田空港から大阪の伊丹空港に向け離陸したが、伊豆半島南部の東岸上空で垂直尾翼付近に衝撃が走り、操縦不能に陥ったまま群馬県多野郡上野村山中（通称・御巣鷹の尾根）に墜落した。

乗員乗客５２４人中、乳児12人を含む５２０人が死亡、乗客４人が重傷を負う大惨事となったが、政府側のＦＡＫＥ情報「御巣鷹山（当時は存在しない）」で混乱、場所が特定できずに救援部隊が到着したのは翌13日だった。

犠牲者には歌手の坂本九、阪神タイガース球団社長の中埜肇《なかのはじむ》、ハウス食品工業社長の浦上郁夫、元宝塚歌劇団の娘役の北原遥子等有名人も結構乗っていたが、実際は「横田基地」からアメリカ軍の救助ヘリが墜落後すぐに到着したものの、官邸指示で帰還させたのは、当時の中曽根首相らが自衛艦「まつゆき」からの発射物が命中したことを隠すためだった。

そして全責任を機長の高濱雅己《たかはままさみ》の、海上ではなく山側に機体を持っていった判断ミスに持っていく動きが始まり、ボイスレコーダーの一部「どーんといこうや」だけ公開して幕引きを図ろうとした。

が、垂直尾翼のない状態で海水着陸はほとんど不可能で、むしろ並走していた2機の航空自衛隊機「マグダネル・ファントム機」に追従した可能性もある。

それでも機長の言葉が無責任という非難が殺到したとき、官僚の誰かが「ボイスレコーダー」の全てをTV局にリークした結果、機長のコックピット内の、横田基地不時着を危険と判断する「これは、駄目かも、分からんね」や、「どーんといこうや」も前後の言葉から仲間を励ます意味と判明、本来は絶対非公開の「ボイスレコーダー」の暴露をアメリカが非難したが後の祭りだった。

公僕が権威側に逆らったのはこれだけではない、2010年9月7日、中国漁船が海上保安庁の艦船に故意に衝突した「尖閣諸島中国漁船衝突事件」が発生、中国側の一方的な嘘に対し、当時の民主党の菅直人内閣は、逮捕した船長の処遇が問題となり、事故の詳細を有耶無耶《うやむや》にしようとした。

が、インターネット動画共有サイト「YouTube」に証拠映像がアカウント「sengoku38」で公開流出した結果、中国漁船の横暴と中国側の嘘が日本から世界に公開された。

海上保安庁は被疑者を特定しないまま「国家公務員法守秘義務違反」「不正アクセス禁止法

違反」「窃盗」「横領」の疑いで「警視庁」と「東京地方検察庁」に告発した後、神戸市の「第五管区海上保安本部」の一人の海上保安官が、自分が流出させたことを上司に名乗り出ている。

日本人の警察、公安、官僚組織には、アメリカが押し付ける「WGIP」体制に不満を持ち、在日支配の官僚組織に逆らったり、宣戦布告する有志が多数いると推測される。

1発の弾が体内から消失した⁉

2022年7月8日の「安倍（李）晋三銃撃事件」が「狙撃《そげき》事件」に変わる可能性が僅かだが数パーセント存在する。

事件現場となった近鉄奈良線「大和西大寺駅」上空に殺到した取材ヘリが捕らえた俯瞰《ふかん》映像の中に、あの交差点横にある地上7階建ての複合商業施設ビル「サンワシティ西大寺」（奈良県奈良市西大寺東町2丁目1番63号）が、注目を浴びたのだ。

事件直後の取材ヘリの映像には「サンワシティ西大寺」屋上のプレハブ家屋の隣に、妙な白い小テントが張ってあり、銃撃後3時間で完全撤去してあることがTBSの報道番組で確認できたのである。

「サンワシティ西大寺」屋上からターゲットを狙えば確実に仕留めることが可能で、となると、元海上自衛隊の山上徹也容疑者はダミーで、猛烈な煙と爆音で現場の時間を一瞬止める役目だっただけとなる。

この事件の不可解さは既に指摘しているが、最も不可解なのは何といっても「奈良県警」の警備の甘さで、問題の「奈良県警察本部」の本部長を調べてみるとトンデモナイ経歴が明らかになった。

当時の本部長の鬼塚友章《ともあき》は、「内閣官房国家安全保障局内閣参事官」のバリバリの警備のプロで、その経験を買われて奈良県警本部長に抜擢《ばってき》されたが、「(元)統一教会」を調べ上げた「公安ファイル」をリークした「警察庁警備局公安課理事官(公安)」として、2011年から5年在籍した人物だった。

安倍(李)晋三を治療した「奈良県立医科大付属病院」は、会見場で「2カ所の銃創があり、心臓にも大きな傷があった」と発言、「奈良県警」も司法解剖の結果、死因を失血死としたが、大量の出血痕はどこにもなかったはずである。

殆どが体内出血としても、心臓麻痺や心臓直撃の場合は心臓というポンプが停止するため、大量出血は逆におかしい話で現実と矛盾する。

現場にいた選挙関係者の話では、仰向けになった安倍(李)晋三の背中に大きな血溜まりができていたというが、相当な血溜まりは今も痕跡として現場で確認できていない。

むしろ「AED/Automated External Defibrillator(自動体外式除細動器)」を使用したが、電気ショックは起きておらず、そのことから心臓は完全停止していたはずで、逆に選挙関係者の語る相当な血溜まりは嘘となる。

その後、安倍（李）晋三の銃創は、左肩に1カ所、首に2カ所と確認され、首は貫通したことが判明、それなら最初の「奈良県立医科大付属病院」の2カ所の銃創は何だったのか？

その際、詳細な死因は首の貫通弾による左右の鎖骨下動脈損傷と、もう1発は左上腕部に命中して心臓を直撃したとするが、どちらも致命傷で撃った相手は2発で即死させるほどの腕前となる。

そもそも銃弾は、ライフリング（溝）で弾丸にキリモミ回転を与えて真っ直ぐ狙った箇所に命中させ、さらにスピンしながら肉を抉《えぐ》って衝撃を上げるが、今回は手製のパイプ銃とガチャポンに入れた金属弾（パチンコ玉？）である。

言い換えれば、ライフル銃より正確に致命傷となる2カ所にパチンコ玉を命中させたことになるが、最大の謎は2発のうちの1発の弾がCTでも司法解剖でも未だに見つかっていない……つまり体内から消滅しているのだ!!

「奈良県警」は首を貫いた弾が1発見つからない程度は大した問題ではないとするが、それは首を貫いた場合の話で、何故、2カ所の銃創が後で3カ所に増え、「盲貫銃創」の話が出てきたのかが謎なのだ。

ますます深まる迷宮だが、最初の段階で単純に「真犯人は別にいる説」を主張していたのが関西のお笑い芸人ほんこんである。

ほんこんは、現在「サンワシティ西大寺」の所有者「三和住宅」から訴えられそうな気配で、先方の言い分では、事件当日は偶然にビルの屋上で排煙ダクトの清掃が行われ、その作業のために白いテントを張っていただけで、作業が終わったので撤去したという。

果たしてそんな偶然が次々と起きるのかということだ。

まず安倍（李）晋三はコロナ禍でも強硬に「東京コリアンピック2020」を主張し、駄目なら翌年の開催を主張、その意欲を継承した菅（韓）首相が「東京コリアンピック2021」を強行開催したが、「大会組織委員会名誉最高顧問」のはずの安倍（李）晋三は、重要な開会式を天皇陛下1人に押し付け、自分はドタキャンで逃亡している。

そのとき、安倍の耳に自衛隊のスナイパーが狙っている情報が入っていたことが分かっているが、断定は避けるが、こういう狙撃銃が存在することぐらいは知っておいてもらいたい。

それは強力な圧縮空気を使う「プリチャージ（圧縮空気）式エアライフル」の存在で、『エアフォース・エアガンズ』（英語版）には、プリチャージ式シリンダーに200気圧の高圧空気を充塡《じゅうてん》、「ハンマー／ストライカー」で排気バルブを打撃、短時間開放でポンピング動作とコッキング操作も不要、射手は装薬銃のように射撃に集中できるとある。

撃発時に大きな可動部を持たない構造は桁違いに高い射撃精度を持ち、射撃音も煙も出さない「サイレントキル」を果たすことが可能という。

火薬を一切使わない超圧搾空気のため、特殊溶液の氷の弾も発射可能で、鉄球と変わらぬ硬度を持つ氷の弾が命中後に体内で溶けるため、証拠を一切残さないという。

もちろん、仮定の話として、自衛隊のスナイパーでこの近距離なら安倍（李）晋三の首の鎖骨下動脈に撃ち込むのは簡単で、当然、弾は体内で消滅する。

山上容疑者を囮《おとり》とは言わないが、念のためにスナイパーが狙っていた可能性もないとは言えず、むしろ山上容疑者に屋上から合図を送っていた可能性すら出てくる。

安倍（李）晋三は猛烈な轟音《ごうおん》で振り向き猛烈な煙に体が硬直した瞬間、プロのスナイパーなら十分に狙うことが可能だったのである。

終章

日本列島全域地震か
大和民族復活か

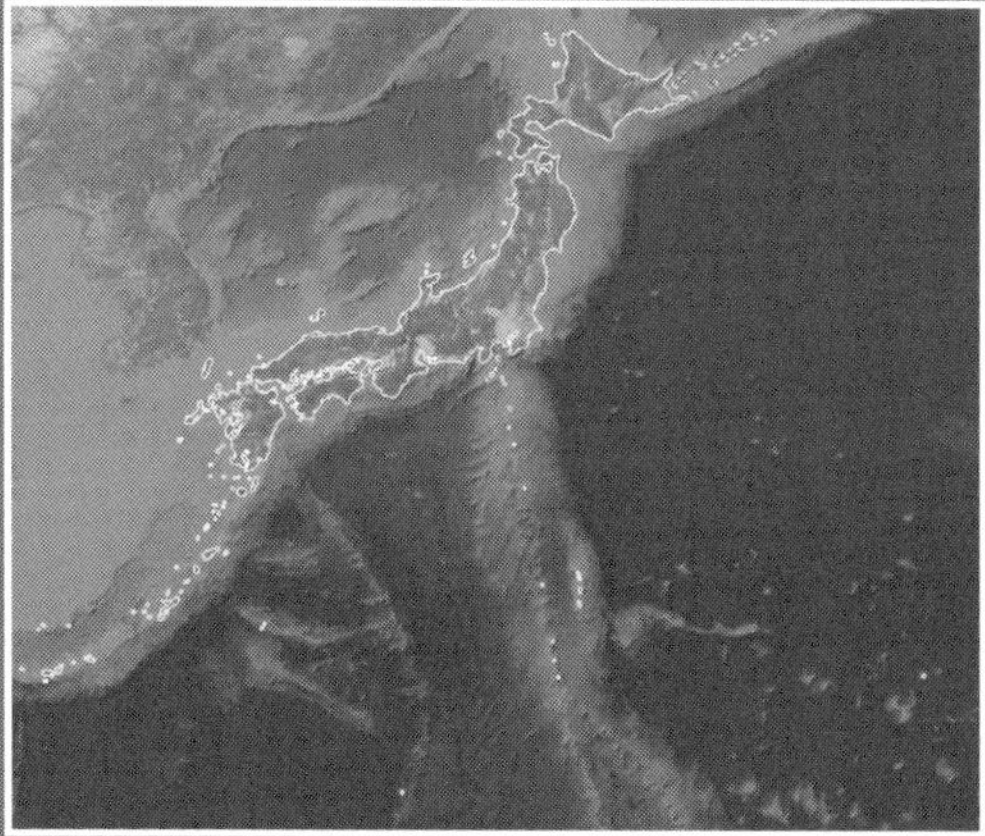

日本列島の地形と海底地形図

日本を食いものにする日本人の正体とは

朝鮮民族の特徴は昔から「公金横領」であり、韓国の歴代の大統領も一族を上げて公金を着服し、刑務所に入っても改まることがない朝鮮民族の悪癖となっている。

「東京都知事選」に在日韓国人を隠して出馬した舛添要一《ますぞえよういち》も、都知事に就任するや都民の税金を大統領選挙に勝利した朴槿恵《パククネ》に進呈する（未遂）まで、都民は舛添が在日と分からなかった。

舛添は「政治資金」を着服し、正月やお盆シーズンに温泉宿やリゾートホテルなど計7回も私的に利用し、横浜市の高級ホテルに19万5167円の宿泊費も着服したが、その前日、舛添はツイッターで「2日は家族サービスで、水族館で終日過ごしました。」と投稿している。

もはや「恥」を「恥」と全く理解できない民族性が顔を出し、さらに舛添は「政治資金」を私的な美術品大量購入にまわし、さもそれが当然とする行為に唖然とするオンブズマンが「業務上横領罪」で東京地検に告発文を送付「政治団体の解散に乗じて美術品を横領した」と訴えた。

舛添は自らの著書『私の原点、そして誓い』の「オモニ（おふくろ）の味・P125～P130」で、「舛添家発祥の地は福岡県ですが、わが家は先祖代々朝鮮半島とはゆかりが深く……私の父は自分の選挙ビラにハングル（朝鮮文字）でルビを振った最初の日本人だったようです……（中略）……ある日、全羅道《チヨルラド》に行って、全州《チヨンジユ》で食事をしたとき、どこかで食べたことがあると、懐かしくなったものがあります。」とカミングアウトしている。

（元）内閣総理大臣の小泉純一郎も同様で、父の小泉純也は鹿児島県加世田の朝鮮人部落出身の朴純也《パクじゅんや》で、敗戦で「日韓併合」が消滅するや法的に日本人ではなくなるため、地元の名士だった鮫島姓を勝手に名乗って（乗っ取って）朝鮮名を消し、その後、東京に出て鮫島の名声を利用してヤクザの小泉又次郎の娘と結婚し、小泉の姓を名乗ることで朝鮮名をロンダリングして完全に日本人になりすました。

その息子の小泉純一郎が掲げた「郵政民営化」は、当時の日本人には殆ど必要性を感じない改革だったが、小泉の「自民党をぶっ潰す!!」のONEキャッチで票を入れた有権者が雪崩を打って自民党に票を入れた。

結果、アメリカの大統領選挙と同じ劇場型選挙「小泉劇場（CIA製）」が開幕し、劇場型に不慣れだった有権者の多くが騙《だま》され、日本人の貯金と簡保300兆円が世界金融の舞台に放り出される羽目に陥った。

それを待っていたのがアメリカの禿鷹《はげたか》「ヘッジファンド」で、手付かずの莫大《ばくだい》な日本国民の資産を上げ下げするだけで莫大な利鞘《りざや》を稼ぎ出した。

小泉の「自民党をぶっ潰す」の意味は「日本人の国会議員をぶっ潰す」ことで、郵政民営化に反対する「抵抗勢力」も日本人の国会議員（郵政族議員）と郵政関係者を指していた。

この小泉の片棒を担いだのが似非《えせ》経済学者の竹中平蔵で、既にアメリカでは詐欺扱いだった「トリクルダウン理論」を持ち込み、大企業を優先して新富裕層を生み出し、会社から正社員をなくして「中流層」を消滅させた。

結果、日本の失われた10年、20年、30年を創り出し、若者層を不安定な「契約社員」「派遣」に追い落とし、スキルを身に付けることなく日本の若者の夢と未来を失わせた。

その間も竹中はちゃっかり人材派遣業の「パソナ」の特別顧問に潜り込み、すぐ親会社の「パソナグループ」の特別顧問となり、瞬く間に取締役会長に就任して悠々自適の「上級国民」となった。

小泉の国民のカネの略奪はこれだけでは収まらず、それまで堅実だった郵政のトップが在日と入れ替わるや、長年かけて築き上げた郵便局の信用を悪用する在日系が次々とやってきて、簡保と郵便貯金に登録する日本人を食い物にしていった。

郵政民営化以前の郵便局では考えられない悪辣《あくらつ》な手口で、18万件もの「簡保不正契約事件」と、底が全く見えない「ゆうちょ銀行不適切高齢者投資信託販売事件」が次々と発覚していく。

そんな中で起きたのが飯塚幸三の「池袋暴走事故」で、下手をすると日本の「上級国民」から在日支配構造が明らかになりかねない。

そこで同じ朝鮮系の安倍（李）晋三が、「アメリカ大使館（極東CIA本部）」の指導を受けながら動いていたことで、即逮捕が行われない仕掛を構築していく。

公金を「森友学園」「加計学園」だけでなく「桜を見る会」でも湯水のごとく使う安倍晋三の体質は半島と同じで、その意味で飯塚幸三の暴走事故は在日系支配層にとって最大級の事件で、安倍自民党にとっても下手をすると「パンドラの箱」を開けかねない要注意事項となった。

神宮外苑再開発は「千年恨《ハン》」の呪詛《じゅそ》

兵庫県生まれの在日の緑の狸（小池百合子）は、小泉（朴）純一郎に選ばれ日本人の族議員を追い落とす「小泉劇場」に参戦、在日パラシュート部隊「小泉チルドレン」として圧勝し、第一次、第二次小泉（朴）政権で環境大臣となり一気に国政の中枢へと潜り込んだ。

そんな経歴を引っ提げて、在日の舛添要一都知事が様々な金銭流用疑惑で辞職した後、同じ在日の緑の狸が都知事選で圧勝、多くの在日勢力で「都民ファーストの会」を結成、都政の主導権を握って「在日ネットワーク」の独裁体制を敷いた。

２０２１年の「東京都議選」の板橋区選挙区で再選した「都民ファーストの会」の木下富美子都議は、選挙期間中に何度も無免許運転を繰り返し、人身事故まで起こしたが、半島と同じく恥も外聞もなく議員を止めずに続けたが、２０２１年11月22日、最後は進退窮まり、辞表を出した。

父親が兵庫県の在日の緑の狸は、賄賂を積めば何でもできるエジプトで、「カイロ大学」の偽卒業証書で「学歴詐称」を行っても、恥など関係ない顔で受け流し、都民（特に主婦層）に圧倒的人気を得て、コロナ禍の「緊急事態宣言」の連発で他候補が選挙活動できない間、TVニュースを独占して圧勝している。

２０２０年、緑の狸が、大手町再開発事業「大手町ワン」の開発に絡ませ、皇居前の「将門《まさかど》の首塚」の護符をコリアン式にセメント打ちっぱなしに変貌《へんぼう》させた。首塚の構造を四壇半から三壇半（三行半《みくだりはん》）に変え、「従軍慰安婦像」と同じ手口で皇居に向く「呪符《じゅふ》」に変貌させ、天皇陛下を呪《のろ》う暴挙に出たが、都民は全く気づかなかった。

もちろん、コリアン式なので一般参詣者の敷地内への「供物」「物品」の寄進は一切禁止、「線香台」利用も禁止、蛙の像も全て撤去された。

次に緑の狸が目を付けたのが、今上天皇と直結する明治天皇縁《ゆかり》の「神宮外苑」の再開発計画で、樹齢１００年の樹木１０００本を伐採し、地上14階建てのホテルや高層ビル３棟を建設、「神宮球場」を壊して場所を移動させて再建築、「秩父宮《ちちぶのみや》ラグビー場」も壊して「神宮球場」「神宮第二球場」付近に移設して再建、「軟式野球場」は会員制「テニスコート」へと変わる手続きに乗り出した。

「神宮外苑」はイチョウ並木をはじめとする都会では数少ない豊かな自然が残る都民の憩いの場だが、２０２２年2月の東京都主催の「都市計画審議会」で再開発事業を承認、３月に緑の狸が決定し、計画の大枠が固まった。

まず「神宮第二球場」を解体し、２０２４年から「新ラグビー場」を建設、「秩父宮ラグビー場」を解体して、２０２８年に「新神宮球場」の建設を開始、２０３２年に全てが完成し、「神宮球場」の取り壊しが終わるのが２０３６年となる予定だ。

これを「陰陽道」で言えば、明治天皇と関わる１０００本の樹木伐採は、１９１０年（明治43年）、明治天皇の御代に行われた「日韓併合」に対する朝鮮民族の「千年恨《ハン》」の呪詛《じゅそ》で、明治天皇の末裔《まつえい》（天皇徳仁陛下）を呪殺する意味があり、最近では自然破壊を指摘されて９００本と誤魔化したが、緑の狸は１０００本の樹木を必ず切り倒す意気込みでいるはずだ。

これで何が仕掛けられるかというと、「神宮球場」「第二球場」「軟式野球場」「秩父宮ラグビー場」「明治神宮外苑テニスクラブ」の五施設が消滅、新たに「新野球場」「新ラグビー場」「新テニス場」が完成するが、（故）秩父宮雍仁《やすひと》親王の名のラグビー施設をわざわざ中央に移設した後、壁で全て封じ込め、北の「東京五輪競技場」、東の「テニス場」、南の新野球場で挟み込んで名を〝封殺〟するコリアン式となる。

そもそも「神宮外苑」は「皇居」と「明治神宮」の間の「赤坂御用地」と共に中心を守る〝要の位置〟にあり、それを千本切りの「千年恨」で呪詛を果たすことで、「皇居＆明治神宮」の繋《つな》がりをコリアン式に寸断する呪詛になる。

これに対して都民は再開発を全く知らなかったようで、あるいは知っても再開発の大枠が決まった以上、緑の狸におとなしく従うだけだったが、都内に住むアメリカ人経営コンサルタントのロッシェル・カップ氏が立ち上がり、2022年2月9日、計画の再検討を求めてインターネットで集めたおよそ5万1000人分の署名を都に提出した。

新たな自然を創るために1000本もの樹木を伐採するのは矛盾するとし、文化財保存に取り組むユネスコの国内の諮問機関「日本イコモス国内委員会」を動かし、「日本イコモス国内委員会」のメンバーの「東京大学」の石川幹子名誉教授が再案を担当し、一部の車道を歩道に変えるだけで、不可解な「球場」と「ラグビー場」を入れ替えることなく、今のまま建て替えることができ、殆ど全ての樹木を残すことも可能とする。

樹木はできるだけ伐採しないで移植すると都側は誤魔化しているが、100年以上の樹木は移植先で枯れるケースが殆どで、伐採される「赤松」「スダジイ」「くすのき」の後で、別の樹木を植えても代わりになるものではない。

「神宮外苑」は明治天皇と昭憲皇太后の遺徳をしのぶ目的で、国民からの寄付、献木、勤労奉仕という民間の力で整備され、神社界は「創建時の趣旨と違う形で変貌してしまう」と警告した。

が、在日シンジケートが圧倒支配する東京都は、あくまでも参考意見にすると言うだけで、コリアン式の呪詛に置き換える姿勢を変えるとは思えない。

それもそのはずで、〝神宮外苑破壊〟の緑の狸の背後にいるのが在日のドンで、「東京コリアンピック2020」を東京に誘致し、翌年もコロナ禍を押してまで開催させたロシア領生まれの自民党の在日コリアン森喜朗で、あの東京五輪招致（新国立競技場の建設）は外苑地区再開発のアリバイづくりの可能性さえ出ている。

そもそも山手線内最後の自然の「神宮外苑」を開発から守っていたのが「風致地区」指定の高さ〝15メートル〟以上の建物規制だったが、「東京コリアンピック2020」に向け、「国立競技場」を運営する日本スポーツ振興センター（JSC）が、森喜朗の裏工作で動き、高さ制限が80メートルまで引き上げられ、敷地内に建設される高層ビル建設のキックバックが、森喜朗の政治団体に〝政治献金〟として入る仕組みが出来上がったことになる。

もはや日本も東京都内も在日コリアンの領土と化し、「令和」突入から遣りたい放題の無法地帯と化し、皇祖神に日本ごと踏み潰してもらうしか大和民族存続の道は残されていないように思える!!

「殺生石」で8頭の猪が死ぬ？

平安時代の12世紀、鳥羽《とば》上皇が寵愛《ちようあい》した宮廷女官の「玉藻前《たまものまえ》」を、妖魔《ようま》と見抜いた陰陽頭《おんみようのかみ》の安倍泰成《やすなり》により、妖魔は「九尾の狐」と化して東国へと逃れた。

そこは、7世紀後半、下毛野国《しもつけぬのくに》と那須国《なすのくに》が合わさった「下野国《しもつけのくに》」があり、逃げ延びた先は現在の栃木県那須町「那須岳」とされ、そこで多くの者を毒気で殺生していた。

鳥羽上皇の命を受けた、上総介広常《かずさのすけひろつね》と三浦介義純《みうらのすけよしずみ》（澄）が、ついに「九尾の狐」を追い詰め石にしたとされる。

その曰く付きの「九尾の狐」の「殺生石」だが、真っ二つに割れたことが確認されたのが「艮《うしとら》（丑寅）」の寅年2022年3月5日だった。

異説では、「殺生石」になっても旅人を殺したため、1385年（至徳《しとく》2年）、源翁心昭《げんのうしんしょう》の玄翁和尚《げんのうおしょう》が法力で打ち砕き、その悪鬼が全国八カ所に飛散したという。

飛散した国は、①美作《みまさか》国高田（岡山県真庭市勝山）、②越後国高田（新潟県上越市の高田地区）、③安芸国高田（広島県安芸高田市）、④豊後国高田（大分県豊後高田市）、⑤会津高田（福島県会津美里町）と他3カ所の高田で、異説ではそこで⑥飛騨《ひだ》の「牛蒡種《ごぼうだね》」、⑦四国の「犬神」、⑧上野国の「オサキ」になったとされる。

これは九尾と同じ意味の九頭龍《くずりゅう》が八股《やまた》であることから、地上を破壊する「八岐大蛇《ヤマタノオロチ》」の意味が隠され、この伝説に触発されたのが那須の地で「殺生石」を訪れた曲亭馬琴で、『殺生石後日怪談』を著し、それが後の大長編小説『南総里見八犬伝』となり、「怨霊玉梓《おんりょうたまずさ》」と8つの玉が飛び散った物語となる。

2022年12月7日、「環境省日光国立公園那須管理官事務所」の善養寺聡彦職員は、午前10時20分頃、割れた殺生石の周囲に「猪」8頭（成獣3頭・幼獣が5頭）が死んでいることを発見、いずれも「硫化水素」「亜硫酸ガス」を吸い込んだものとされた。

念のため、県が調査したところ、「豚熱感染」ではないと判断、翌8日午前9時半から職員8人で死骸を回収、同日に焼却処分された。

丑寅の寅年2022年3月5日に、九尾の狐の「殺生石」が割れ、同年最後の月に8頭の猪が死骸《しがい》を晒《さら》したことを偶然と見るか、何か意味があると見るかは人の自由だが、「カバラ（カッバーラ）」で「猪」は「神道」と深い関わりがある。

元々、日本は古来より神の遣い「神使《しんし》」「御先《みさき》」が動物で、今も奈良市内に「鹿」が飼われているのは、「春日大社《かすがたいしゃ》」の社伝に、武甕槌命《タケミカヅチノミコト》が白鹿の背に乗り御蓋山《みかさやま》（三笠山）に奉遷された故事により、鹿を「神鹿《しんろく》」として神聖視するからである。

「猪」を神使とするのが、「道鏡事件」を鎮めた和気清麻呂《わけのきよまろ》を主祭神とする「護王《ごおう》神社」（京都市上京区）と、清麻呂の生誕地に鎮座する「和気神社」（岡山県和気郡和気町）である。

日本中を見ると、大黒天の遣いは「鼠」、毘沙門天《びしゃもんてん》の遣いは「百足《むかで》」、天神（天満宮）の遣いは「牛」、伊勢神宮は「鶏」、朝護孫子寺《ちょうごそんしじ》は「虎」、二荒山《ふたらさん》神社は「兎」、松尾大社は「亀」、金刀比羅宮《ことひらぐう》は「蟹」、三嶋大社は「鰻《うなぎ》」、大神《おおみわ》神社は「蛇」、出雲大社は「海蛇」、諏訪神社は「白蛇」、稲荷神社は「狐」、日吉大社は「猿」、熊野三山は「烏」、諏訪大社は「鶴」、八幡宮は「鳩」、氣比《けひ》神宮は「鷺《さぎ》」、武蔵御嶽《むさしみたけ》神社は「狼」、大前神社は「鯉《こい》」と様々である。

だから「猪」の死は偶然で特に意味はないとするか、8頭を持って九尾の狐の正体の「八岐大蛇」とするかで「艮《ウシトラ》の金神《コンジン》」出現の徴《しるし》とするかまで発展する。

だが、どうやらその答えは「猪目《いのめ》」にあるようだ!!

「猪目」とは日本中の神社にある「♡型」の印のことで、古くから「魔除け」とされ、節分の「豆まき」も「豆=魔目」の「猪目」から来ている。

魔除けといえば「伊邪那岐命《イザナギノミコト》」が黄泉《よみ》から脱出する際、後を追いかけて来る醜女《しこめ》らに投げた「桃」の形が原型とされ、魔目撒きは伊邪那岐命の「桃撒き」から来ている。

昔の「桃」は先が尖っていて今の品種改良された丸い「桃」とは形が違っているが、黄泉の国と現世の境に生える「桃」の実を3個投げて魔除けとし、伊邪那岐命は「桃」に向かってこう語ったとされる。

「お前、桃の実よ、私を助けたと同様、現世に生きる全ての人々が、苦しみに流され悩みに呆《ぼう》然《ぜん》となる際、どうぞ助けてやってくれ」とし「桃」に「意富加牟豆美命《オホカムヅミノミコト》」の名を授けた。

その「桃」の「♡」が8ツ丸く並んだのが天皇家の「菊花紋」で、事実、その形が「十六菊花紋」の元となっている。

この「♡×8」菊花紋があるのが「熊野三山」で、全ての猪目に線を加えたら完璧な天皇家のシンボル「十六菊花紋」となる。

このことから8頭の猪目が死んだことは、天皇陛下に身の危険が訪れるか、逆に「艮の金神」が目を覚まして日本列島を喰らうのか、あるいはそのどちらかもしれない。

裏を返せば、丑寅の次が「卯《う》」の「兎《うさぎ》」で、一羽二羽と数える兎が「鳥」となり「月」を示唆するなら、陰の愛子内親王が姿を現す示唆になっているとも受け取れ、2023年の直前に何らかの光が差す示唆を「諏訪大社：下社春宮」の「筒粥神事《つつがゆしんじ》」が告げていた。

現代の「道鏡事件」が進行中⁉

奈良時代に和気清麻呂《わけのきよまろ》なる人物がいた。

現在、天皇陛下の〝京都帰還〟は完全に秒読み段階に入ったが、東京の「アメリカ大使館（極東CIA本部）」をはじめとする「自民党」、「公明党」の半島系勢力の露骨なまでの妨害が凄《すさ》まじい状態になっている。

その「平安遷都」を奈良時代の終わりに成した造営長官が藤原小黒麻呂《ふじわらのおぐろまろ》で、その妻は大納言太秦嶋麻呂《ごんはたのしままろ》の娘と、左大臣藤原魚名《ふじわらのうおな》の娘で共に秦氏だった。

太秦嶋麻呂は「平安遷都」の莫大な費用を賄ったとされ、さらに藤原小黒麻呂は「山背派《やましろ》」の主要メンバーで、同じ山背派に桓武《かんむ》天皇に遷都を決心させた和気清麻呂がいた。

和気清麻呂は天皇と入れ替ろうとした僧侶道鏡による「道鏡事件《どうきょう》」（769年）を解決した立役者とされる。

道鏡は、淳仁《じゅんにん》天皇が勢力をなくしたことで返り咲いた孝謙《こうけん》上皇（太上女帝）に取り入った僧で、女帝の庇護《ひご》で権力を増大させ、坊主にもかかわらず飛ぶ鳥を落とす勢力になった。

増長した道鏡は、大宰府《だざいふ》で神職にあった中臣習宜安曾麻呂《なかとみのすげのあそまろ》に命じ、「宇佐《うさ》八幡宮」の八幡神が自分を天皇にするよう命じていると偽証させ、当然これが大事件となる。

朝廷は、それが事実か否かを確かめるため「宇佐八幡宮」に派遣したのが、斎宮《さいぐう》の和気広虫《わけのひろむし》の弟の和気清麻呂だった。

清麻呂は御神体の「璽筥《しるしのはこ》」を前に御神託を得、道鏡の嘘を暴いたとされ、これはモーセが「契約の櫃《ひつ》アーク」を前に、絶対神ヤハウェと言葉を交わした記述と同じである。

「モーセは神と語るために臨在《りんざい》の幕屋に入った。掟《おきて》の箱の上の贖《あがな》いの座を覆う一対のケルビムの間から、神が語りかけられる声を聞いた。」(「民数記」7章89節)

「宇佐八幡宮」には「本神輿《ほんみこし》」が鎮座しており、「東大寺」建立の際に宇佐から「本神輿」が担ぎ出されたと記録されている。

これで和気清麻呂がご神託を受けるに相応《ふさわ》しい人物と分かり、道鏡は中央から追放され、その後、無事に極東エルサレムの千年の都の「平安京遷都」が達成される。

現在、天皇陛下を守るため〝文武二忠臣〟の和気清麻呂と楠木正成《くすのきまさしげ》の像が皇居に「結界」として置かれているが、今も天皇陛下を守護する和気清麻呂を祀《まつ》るのが、京都の「護王《ごおう》神社」(京都市上京区)と、清麻呂の生誕地に鎮座する「和気神社」(岡山県和気郡和気町)である。

天皇入れ替えの野望を挫《くじ》かれた道鏡は、清麻呂の足の腱を斬った上、大隅国(鹿児島県)へ流罪《るざい》にさせるが、その途中、刺客に襲わせようとしたが、豊前国（福岡県東部）に至った際、３００頭の「猪」が現れ、清麻呂の輿《こし》の周りを囲み、道鏡の刺客から守り十里（約40キロ）の道を護衛したとされる。

清麻呂が「宇佐八幡宮」の参拝を終えると、「猪」の姿は何処《いずこ》ともなく消え去り、以後、和気清麻呂を祀る神社の「神使《しんし》」「御先《みさき》」が「猪」となった。

今、天皇徳仁《なるひと》陛下をビル・ゲイツ製ゲノムワクチンで亡き者にし、在日朝鮮人の小室《Ｋｉｍ》圭と入れ替えたい「アメリカ大使館（極東ＣＩＡ本部）」のラーム・エマヌエル駐日大使は、在日支配の自民党とその機会を虎視眈々《こしたんたん》と狙っている。

２０２２年7月17日のイスラエルの「シオン祭」までに、イスラエルのレガリアである「契約の聖櫃アーク」と「三種の神器」を陛下亡き後、安倍（李）晋三が「女性宮家設立」を緊急法案で通し、アメリカで待機中の秋篠宮の娘眞子の皇籍が復帰、小室（Ｋｉｍ）圭が皇族入りするタイミングで、朝鮮系の秋篠宮が臨時天皇に小室（Ｋｉｍ）圭を推薦、アメリカがその小室臨時天皇から「伊勢神宮」と「熱田神宮」にある三種の神器と契約の箱を、「イスラエル大使館」のギラッド・コーヘン駐日大使らと「モサド」にイスラエルまで運ばせる段取りだった。

が、プーチン大統領の「ウクライナ侵攻」と、２０２２年7月8日、安倍（李）晋三が奈良県の近鉄大和西大寺駅北口付近で暗殺されたことで予定が狂ってしまった。

Rothschild と Rockefeller は天皇徳仁暗殺を諦《あきら》めておらず、現在、天皇陛下暗殺を決定し、小室（Ｋｉｍ）圭はアメリカで陛下死亡の報告を眞子と一緒に待っている。

その暗殺計画が確実に動き始めたのだろうか、和気清麻呂の守護獣「猪」が8頭も死んだのは不吉以外の何物でもない。

いずれも「猪」の死は「硫化水素」「亜硫酸ガス」を吸い込んだ結果とされるが、問題は「艮（丑寅）の金神」の寅年（２０２２年）の最後の月に事態が起き、それが8頭という〝韻〟を踏んでいたことだ。

8頭の猪の死は「魔除け」の「結界」を、天皇入れ替えで突破されることを示している。

和気清麻呂の庇護をなくした天皇陛下の身の安全が「アメリカ大使館（極東ＣＩＡ本部）」によって非常に危険な状態に陥ったことを示し、「道鏡事件」が再び起きることを警告している!!

未曾有の「日本大震災」から大和民族復活の「神一厘」へ

「諏訪湖《すわこ》」の位置は日本列島を東西に走る「中央構造線」と、南北に走る「フォッサマグナ（糸魚川－静岡構造線）」が交差する「日本列島最大の辻《つじ》」に存在する湖である。

「辻」とは「十・辶」で構成された漢字で、意味は「十＝十字路」「辶＝移動する」で、旅人が行き交う十字路を意味するが、地質構造学的に言えば「交差する地溝帯」をいう。

つまり「諏訪湖」は只《ただ》の湖ではなく、日本列島の北西部、南西部、北東部、北西部の陸塊が押し合うことでズレた結果できた「構造湖（断層湖）」で、その際の凄《すさ》まじい地殻変動で地面が長方形に陥没、そこに水が溜まって形成された湖で、他の湖と全く成因が異なっている（琵《び》琶《わ》湖《こ》は例外）。

１９８７年、「国土地理院」が民間企業に委託し、湖底を水中ソナーで徹底調査したとき、25メートル四方の人工的に造られた菱形《ひしがた》の「凹《くぼ》み」を確認、伝説の「武田信玄の水中墓」ではないかと騒がれた。

結局、湖底調査は１９８８年～１９９０年まで5回行われ、菱形の「凹み」は東西17～20メートル、南北に二十数メートルの形状と確認され、菱形の頂点が綺麗《きれい》に東西南北を指すことから自然物とは考えられないとされた。

その位置はちょうど諏訪湖の最深部で、東西南北で交差する日本列島の地溝帯の「辻」の位置に該当する。

これが意味することは、仮に日本列島が四散するような事態が起きる場合、最初に「諏訪湖」の水が地の底に抜ける現象が起きることである。

そこで気になるのが「御神渡《おみわた》り」で、南側の上社本宮の「建御名方神《タケミナカタノカミ》」が、妻の下社前宮の「八坂刀売神《ヤサカトメノカミ》」の処《ところ》へ通う象徴の湖面全面氷結のひび割れを言い、巨大な「龍神（大蛇）」が湖面を渡る様を指している。

この「御神渡り」が、2019年、2020年、2021年、2022年と全くなかった状況を、「諏訪大社：下社春宮」の「筒粥神事」も、2018年、2019年、2020年、2021年と四年続けて「三分五厘《さんぶごりん》（三行半《みくだりはん》）」が出て、四隅の異常を予兆、2022年がその延長に当たり〝最後の僅《わず》かな光まで耐えよ〟と出て、それを期待する意味での「三分六厘」だった。

この意味は、岡本天明の預言『日月神示《ひつきしんじ》』にある最後の希望の「神一厘」と符合するだけに、2022年12月は最後の「一厘」が顔を出す可能性があったが、よほどのことが起きなければ人々は気付かないかもしれない、

それを「艮《ウシトラ》の金神《コンジン》」とするのは、「艮＝丑寅」で「丑年《うし》＝2021年」「虎年＝2022年」となり、2022年12月に何か起きる可能性があるが、切っ掛けの前兆のようなものかもしれない。

そもそも、旧暦では2023年1月21日まで寅年は終わっていないのだ。

まして2023年の「卯《う》（兎）年」は「蘇民将来《そみんしょうらい》」で国民の3分の2が疫病（遺伝子操作ゲノム溶液接種）で死滅する大国主神（牛頭天王《ゴズテンノウ》・須佐之男命の別名）の預言と関わる兎年で、脳が溶けて狂い死にする「古丹《こたん》」に従わなかった「蘇民」が、大黒様に助けられる因幡《いなば》の白兎となる!!

が、同時にそれは「諏訪湖」の四隅に異常が起こり「辻」が消える不吉な前兆ともいえ、実

は「諏訪湖」には全面氷結しても東側7カ所の「七ツ釜《ななつがま》」という「湖底源泉」の湖面だけ丸く氷が張らないことで知られていた。が、最近それが消滅、特に湖畔の片倉館に近い温泉街の一角の「間欠泉」の噴出が2021年で停止してしまった。

これは日本列島の地下で不可解な現象が起きている証拠で、それが真っ先に諏訪湖に現れたと知るべきで、問題の2022年が終盤に差し掛かった頃、日本中の温泉という温泉の湯量が大激減し、場所によっては枯渇してしまった!!

日本で7800カ所ある温泉が、突然、湯量の減少と湯の温度低下の異変が起き、青森県では地下1000メートルから源泉を汲《く》み上げても十分な湯量が得られず、廃業を決断する温泉施設が続出、日本最大の湯量と湯熱を誇る大分県別府市の「別府温泉」でも、急激な湯温低下が確認された。

これは日本列島の地下で「地圧低下」というあり得ない事態が起きていると思われ、列島から熱がなくなり死に始めたことを意味する……。

日本列島の四隅を抑える超圧力が緩んできたとしたら、最終的に「辻」を支える接合が緩み、日本列島が大地震と共に離れ始める前兆を意味することになる!!

結果として、徐々に「諏訪湖」の水が抜け始め、やがて大破壊神「艮の金神」の別名「八岐大蛇《ヤマタノオロチ》」が日本列島を喰《く》らう予兆が出揃《でそろ》ったことになる。

それが日本が一度死んで蘇《よみがえ》る「蘇民将来」に繋がれば、未曽有《みぞう》の「日本大震災」は、同時に大和民族の復活を意味する「神一厘」となるはずだ。

北緯35～36度帯の神仕組み

「武道」で相手と睨《にら》み合う時、気を抜いた直後に打ち込まれるため、呼吸法で息を吐く瞬間を見抜かれないようにしなければならない。

基本的に息を吐くと気が抜けるため、息をゆっくり深く吐くことが重要で、そうすれば身体の意識の集中度が上がり、呼吸筋をはじめ腹筋と胸部筋肉が静かに収縮する結果、むしろ素早く対応できるとされる。

そのためには息を吸う時も相手に悟られないようにせねばならず、逆に、肩で息をするほど力が入った相手なら速攻で打ち倒すことができるとされる。

日本中の「温泉」の湯量が一気に激減し、湯温も著しく低下している不可解な現象は、日本列島を四隅で繋ぎ止めている「諏訪湖」の断層湖の異変と関わりがあり、むしろ日本列島を東西で仕切る「中央構造線」と、南北で仕切る「フォッサマグナ：糸魚川－静岡構造線」の交差位置の「諏訪湖」に異変が起きて当然となる。

さらに、富士山の地下水が湧く「三嶋大社」（静岡県）と周辺の水が止まり、隠岐の湧き水も止まってしまった。

極論だろうが、日本列島の四隅の接合（結合）力が抜け始めたため、「地圧減少」を引き起こしていると推測できる。

こういう状況で、仮に途方もない「超弩級地震《ちょうどきゅう》／MEGAQUAKE」の一撃を喰らった場合、日本列島はバラバラに四散する可能性がある。

西に向かって沈み込む「太平洋プレート」と、北に向かって沈み込む「フィリピン海プレート」が日本列島全体を「ユーラシアプレート（アムールプレート）」の上に伸《の》し上げようとし、その影響で北陸先端にある能登半島で群発地震が集中している。

言い換えれば、日本列島の北西部、南西部、北東部、南東部の四隅の陸塊を「大陸棚」に押し上げる動きで、四隅の断層湖となる「諏訪湖」の遥《はる》か深淵部《しんえんぶ》に異常が起き、地圧の減少現象が起きた結果として、間欠泉が止まった可能性がある。

「日本列島」の結合が減圧状態のとき、超弩級海溝型地震の「南海トラフ地震」の一撃を喰らったら最後、「南海」「東南海」「東海」が総崩れになり、「東京直下」が一気に連動、さらに房総沖の〝海溝会合三重点〟も連動し、「相模湾《さがみわん》トラフ」から三陸沖を含む「日本海溝」「千島海溝」にも伝播《でんぱ》し、日本列島は全滅のお陀仏《だぶつ》になる。

それもこれも日本列島の地下が接合力を失う減圧状態に起きる〝日本列島全域地震（日本大震災）〟で、死者は「ハルマゲドン津波」を含め数千万人規模に達し、東京は確実に壊滅するが、福岡、大阪、名古屋、札幌も無事で済まず、特に大阪は御堂筋《みどうすじ》が巨大な活断層と重なるため、真っ二つに割れて大きく沈没する。

名古屋は太平洋側に唯一大きく口を開けているため、超弩級津波が数分で襲い、一気に名古屋を呑《の》み尽くして「熱田神宮」も完膚なきまでに壊滅する。

もちろん、この予測には最悪の「火山噴火」を加えていないが、「出雲大社～隠岐《おき》（古代出雲の本殿）」の北緯35～36度帯にある「籠《この》神社」の北緯35度、「京都御所」の北緯35度、「八坂神社」の北緯35度、富士山の北緯35度、「将門《まさかど》の首塚」の北緯35度、「皇居」の北緯35度、「鹿島神宮」の北緯35度、「香取神宮」の北緯35度が帯で結ばれ、さらに「諏訪湖」の北緯36度は「隠岐」の北緯36度と一線上にある。

「諏訪湖」に封印された大蛇「建御名方神《タケミナカタノカミ》」は、出雲への帰還を「神有月」でも許されないため、「諏訪湖」の封印を解かれても西に走らず、東へ一直線に走ると想定される。

それを封じるため、東の端「鹿島神宮」（茨城県）、「香取神宮」（千葉県）を配し、それぞれに地震封じの陰陽の「要石《かなめいし》」が置かれたが、それが破壊されるのだろう。

「京都御所」はこの日を想定して「耐震構造化工事」を令和元年12月で完成、「大宮御所」も陛下が泊まられても安全となった。

日本列島が消えても、国体（天皇陛下）が無事なら大和の再建は可能で、一方、都内で皇室の建物が並ぶ「赤坂御用地」の緯度は北緯35度で、半島系の「秋篠宮《あきしののみや》」の豪邸があるが、巨大津波で一撃で破壊されるのだろう。

「皇居」も北緯35度で同じ運命をたどるが、天皇徳仁《なるひと》陛下と皇后、そして愛子内親王は地下シェルターで無事か、あるいは都内にいないときに事態が起きる可能性があると思われる!!

2023年の筒粥神事も三分五厘!!

２０２３年１月14日、今年の世相と農作物の豊凶を占う「諏訪大社・下社春宮」の「筒粥神事」が、１月14日の夜８時から始まり、神職たちがヨシなどを入れた釜を夜通し炊き上げ、15日朝に結果が告げられた。

で、その結果だが、２０２３年は又しても最悪の「三分五厘（三行半）」が出て、２０１８年、２０１９年、２０２０年、２０２１年と連続四度の三行半で、２０２２年は最後の僅かな光を一厘とする条件付きの三分六厘だった（実質は三分五厘）。

で、２０２３年の三分五厘について、北島和孝宮司の説明は「浮き沈みの無い平らな一年」と出て思わず首を傾げたが、その言葉を「諏訪湖」に置き替えたら、「浮き沈みの無い平らな水面」となり、前述の連続四度の諏訪湖の「御神渡り」の無い〝明けの海〟が連想された。

諏訪湖で「明けの海」が出ると不吉とされ、実際、「明けの海」が出た年に「阪神・淡路大震災」（１９９５年）と「東日本大震災」（２０１１年）が起き、最悪なのは２０２３年が「関東大震災」（１９２３年）からちょうど「百周年目」になることだ!!

その２０２３年の「浮き沈みの無い平らな一年」が、仮に現在進行形で日本列島で起きている「地圧低下」「地熱低下」に関係するとしたら、「血圧低下」「体温低下」で〝日本列島が危篤状態〟にあると裏読みできる。

すると、死んで蘇る意味を持つ「蘇民将来」が、「筒粥神事」でも預言されているのではないのか？

そこで、２０２２年の「筒粥神事」の〝最後の僅かな光〟を調べてみると、２０２２年12月に稀有な天体現象が起きていたことが分かった。

２０２２年12月下旬～翌1月上旬（旧暦で1月21日まで寅年）、夕方の西南西の低空で、マーキュリー（使者）の名を持つ「水星」と、光の意味の宵の明星「金星」が大接近、地平線高度5度前後とかなり低い位置に見える中、最接近したのは12月29日の高度2度未満で最大で明るく輝いた。

その期間の12月24日、金星は月とも「合」を成したが、月は姿を完全に隠す「新月」の翌日だったため、僅かな月光で「合」が隠された。

月は「陰陽道」では太陽の「陽」に対する「陰」で、太陽を「生」とすると月は「死」を意味し、阿弥陀仏が迎えに来て月に戻ったかぐや姫は死んだことになる。

そこで問題は12月24日が２０２２年の「クリスマス・イヴ」だったことだ。

イヴは救世主誕生の前夜とされるが、「グレゴリオ暦」ではない「ユダヤ暦」では、日が沈めば翌日となるため、実際の救世主誕生はイヴと同日の12月24日となり、夜空に「宵の明星」が輝いていた。

原始キリスト教の「コプト」とギリシア正教の流れをくむ「ロシア正教」のクリスマスは1月7日だが、3カ月ズレる「ユダヤ暦」では春の4月7日、前述の仕組みで4月6日が真の救世主の生誕日となる。

救世主は〝最初で最後〟を意味する「生と死」支配する神、つまり「初め（アルファ）と終わり（オメガ）」を象徴し、「蘇民将来」の元はここにある。

「わたしはアルファであり、オメガである。最初の者にして、最後の者。初めであり、終わりである。」（『新約聖書』「ヨハネの黙示録」第22章13節）

2022年12月20日～31日まで、日本の夜空で滅多にない太陽系の全惑星が現れる「惑星パレード」が起きていて、特に12月25日以降は月も一緒に見ることができた。

それは太陽系の全惑星が日本列島の誕生に駆け付けていたかに見えるが、その期間は同時に救世主の死の臨終の場に来ていたことになり、それが3日後の復活（第2の誕生）を表す「蘇民将来」となる。

欧米のキリスト教会は、救世主誕生に駆け付けたのが「東方の三博士」とされるが、そのような記述は「聖書」の何処にもなく、そもそも『旧約聖書』『新約聖書』を著したのは、セム系で絶対神ヤハウェの民だった大和民族（ヘブライ語のヤ・ウマト）で、イスラエルから見た東方とは極東の「日本」を指していた。

「アッシリア捕囚」（紀元前722年）で連れ去られた「北イスラエル王国」の「失われたイスラエル10支族」がステップロードを経て日本列島に集合、救世主誕生の日、カナンには「バビロン捕囚」（紀元前586年）から戻っている「南ユダ王国」の「2支族」がいたが、両方の王国で神殿職だったレビもいた。

極東に移動した大和民族10支族が、カナンに戻った大和民族2支族とレビ族の全員で救世主の誕生を祝い、「三種の神器」に対応する「黄金（金と同じ価値のゴールド・リキッドとされる）」「没薬」「乳香」を、ユダヤ密教（カッバーラ）の三柱を象徴する贈り物を捧げた。

日本の「秦氏」は、「秦」を漢字破字法で分解した「三・人・ノ・木」で成り、四国忌部《いんべ》の頭首「三木家」も同じ「三本の木」を象徴する。

さらに、仁徳天皇の逆字を持つ天皇徳仁《なるひと》陛下の樹種である「梓《あずさ》」は、死んだが生きている〝死に上手〟の意味で、生き残る「蘇民」の長となる。

2021年7月6日、今上天皇陛下は、赤坂御所でビルゲイツ製母型の「遺伝子操作ゲノム溶液」を接種した以上、アメリカが喜ぶ陛下の死は確実だが一つ大きな謎がある。

通常なら2度目の接種は3週間後の7月27日以降になり、それでは「東京オリンピック（実態はコリアンピック）」の開会式に世界中からやって来るVIPとの接遇に間に合わない。

結果的に開会式は無観客となり世界の要人は訪れなかったが、このことから陛下は本当に

「遅死誘導ワクチン」接種したかどうかに疑問が生じている。

どちらにせよ、「ファイザー」「モデルナ」「アストロゼネカ」等の「遺伝子操作ゲノム溶液」を1度でも接種したら最後、免疫をなくした後、最後は脳が溶けて生き残る可能性が完全に消滅する。

特に接種後3年の2023年の春以降から夏休み頃に掛け、在日支配の自民党が推し進めた大量接種により、日本人がバタバタ悶絶死するため、2023年は阿鼻叫喚後の不気味な沈黙が支配する年になる。

天皇陛下は、須佐之男命の「艮の金神（八岐大蛇）」の粛清で消えた1億1千万人の「古丹」の死と、生き残った「蘇民」の2千数百万人を重く受け止め、聖徳太子の時代に匹敵する真の日本を復活させる!!

飛鳥昭雄　あすか あきお

1950（昭和25）年大阪府生まれ。企業にてアニメーション、イラスト＆デザイン業務に携わるかたわら、漫画を描き、1982年漫画家として本格デビューする。

漫画作品として『恐竜の謎・完全解明』（小学館）等、作家として『失われた極東エルサレム「平安京」の謎』（学研）等多数。小説家として、千《せん》秋《しゆう》寺《じ》京《きよう》介《すけ》の名で『怨霊記シリーズ』（徳間書店）等を発表。

現在、サイエンスエンターテイナーとして、TV、ラジオ、ゲームでも活動中。

陛下暗殺プランVS霊神ヤハウェ（スサノオ）
日本人絶滅シナリオのどんでん返し

第一刷　2023年2月28日

著者　飛鳥昭雄

発行人　石井健資
発行所　株式会社ヒカルランド
〒162-0821　東京都新宿区津久戸町3-11　TH1ビル6F
電話　03-6265-0852　ファックス　03-6265-0853
http://www.hikaruland.co.jp　info@hikaruland.co.jp
振替　00180-8-496587

本文・カバー・製本　中央精版印刷株式会社
DTP　株式会社キャップス
編集担当　小暮周吾

ISBN978-4-86742-220-5

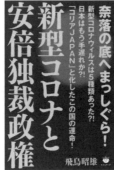

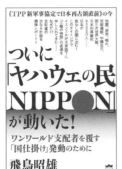

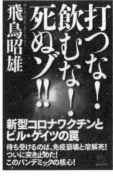

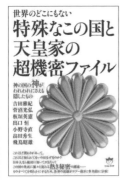

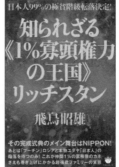